… alla luce

collana fluid V

Alessandro Papetti

Alessandro Papetti

Il disagio della pittura
The uneasiness of painting

Alessandro Papetti
Il disagio della pittura / *The uneasiness of painting*
Fondazione Mudima
13 maggio - 15 luglio / May, 13 - July, 15, 2005

Catalogo / *Catalogue*

Progetto grafico / Design
Fayçal Zaouali

Coordinamento / Coordination
Marina Bignami, Viviana Succi

Traduzioni / Translations
Steve Piccolo
Liana Rando

Redazione / Editing
Monica Maroni

Fotografie / Photographs
Paolo Vandrasch

Pagina 2 / Page 2
Francesco Papetti nello studio di Milano, 2005 / Francesco Papetti in the Milano studio, 2005

Ringraziamenti / Thanks to
Paola Forni
Georgia Cadenazzi

www.mudima.net
ISBN 88-86072-37-6

Sommario / Contents

Il disagio della pittura

L'arte esercita un disagio, sempre. Lo induce e lo mantiene attraverso la manovra di accerchiamento dell'artista che anziché penetrare frontalmente l'oggetto della sua osservazione, lo aggira sorprendendolo alle spalle, lo coglie impreparato alla difesa e lo offre al mondo esterno. Il disagio è prima di tutto reificato nell'oggetto, che viene presentato scomposto, instabile, precario; dall'osservato esso passa poi all'ossservatore che ne coglie istintivamente il senso di marginalità di definizione e lo trasforma in inquietudine. Lo scompenso che genera disagio si produce nell'attrito tra l'epifania dell'arte e l'attesa sociale, tra l'immagine interna all'artista e quelle esterne a essa, tra la sfera del dicibile e quella dell'indicibile.
Se il lavoro della filosofia sta in effetti nella delimitazione di queste due sfere, allora l'ambito dell'estetica risiede in ciò che non può essere detto ma solo mostrato: l'accesso al mistico, ovvero all'indicibile, passa attraverso la de-finizione del dicibile e il suo progressivo abbandono, sino a lasciare spazio solo al silenzio.
Il disagio in questo senso, come avviene nella pittura di Alessandro Papetti, non è causato da una particolare accentuazione drammatica, dal senso del tragico o dalla volontà di premere sugli eccessi angosciosi; il disagio sta invece nell'effetto stesso del 'dire' l'indicibile, del veicolare un messaggio a prescindere delle consuete griglie linguistiche di riferimento. Il disagio è nel riconoscere che quanto è sospeso, in bilico, tra parentesi, tralasciato, indefinito, sfuocato, respinto è per sua stessa natura imprescindibile e ineludibile. Con le parole di Ludwig Wittgenstein: "La soluzione all'enigma della vita nello spazio e nel tempo sta al di fuori dello spazio e del tempo".
Alessandro Papetti dà un senso alle pause del quotidiano, e infatti ha affermato che lo colpiscono più "le striscioline nere che separano i fotogrammi che non i fotogrammi stessi".
L'acqua lo interessa come elemento primario, origine di tutte le cose ma anche sospensione, protezione, talvolta isolamento. Essa è strumento di connessione e di separazione insieme, è vettore fluviale e liquido amniotico, è trasparente ma può divenire insondabile e impenetrabile, è di per sé incolore ma può riflettere e assumere qualsiasi tono cromatico. L'acqua è insomma l'elemento sfuggente che racchiude il segreto del disagio della pittura di Papetti: le sue immagini, siano esse corpi umani in deliquio o assorbiti dalla vertigine del loro vissuto, carene di navi abbandonate o in costruzione, paesaggi e interni postindustriali, non hanno mai

The uneasiness of painting

Art always generates uneasiness. It induces and maintains it through the artist's tactic of surrounding the object of his observation rather than penetrating it head-on. He circles around the object, taking it by surprise, off its guard, and offering it to the outside world. Uneasiness is reified first of all in the object, which is shown in a ruffled, unstable, precarious state. From the thing observed this uneasiness passes to the observer, who instinctively senses the sense of marginal definition and transforms it into discomfort. The imbalance that generates uneasiness is produced in the friction between the epiphany of art and the expectations of society, between the inner image of the artist and those external to it, between the spheres of what can and cannot be spoken.
If the task of philosophy lies, in effect, in the definition of the boundaries of these two spheres, then the place of esthetic lies in what cannot be said but only shown: access to the mystic, or the unsayable, happens through the de-finition of the sayable and its gradual abandonment, giving way to only silence.
The uneasiness, in this sense, as it develops in the painting of Alessandro Papetti, is not caused by a particular dramatic accentuation, a sense of tragedy or the desire to emphasize anguishing excesses. Instead, it lies in the very effect of 'saying' the unsayable, of conveying a message outside the usual linguistic grids of reference. The uneasiness lies in recognizing that all that is suspended, wavering, between parentheses, overlooked, undefined, out of focus, repressed, is by nature inexorable and inevitable. In the words of Ludwig Wittgenstein: "The solution to the riddle of life in space and time lies outside space and time".
Alessandro Papetti, too, gives sense to the pauses in everyday life. He has said that he is more intrigued by "the black strips between the film frames than by the frames themselves".
Water interests him as a primal element, the origin of all things, but also as suspension, protection, isolation at times. It is both a means of connection and of separation, fluvial vector and amniotic liquid. It is transparent but it can become impenetrable and unknowable; though without color, it can reflect and take on any hue. In short, water is the elusive element that harbors the secret of the uneasiness of the painting of Papetti: his images, whether they are human bodies swooning or absorbed by their dizzying experience, hulls of abandoned ships or ships under construction, postindustrial landscapes and interiors, never have

staticità ieratica, non si fissano in emblemi del decadimento; i suoi ritratti non hanno bisogno di accendersi d'estasi o di straziarsi di disperazione. Al contrario le sue Figure vivono nel mezzo, perennemente in transito, mai afferrabili fino in fondo, tra il non più e il non ancora, in cerca di de-finizione, come il funambolo di Nietzsche in bilico sulla corda, tra l'ebbrezza dell'altezza e la paura della caduta. Nella pittura di Papetti il ruolo del nero che separa i fotogrammi sembra essere assunto dal blu, giocato nella varietà delle sue sfumature dal Prussia all'oltremare. Così come il nero funge da stacco tra le sequenze, il blu che fa da sfondo e imbeve i suoi personaggi produce un effetto di annullamento di ogni forma di estetismo decorativista e fa rilucere le figure.

Di nuovo la sua pittura mette a disagio: se da una parte è costruita con un virtuosismo che ricorda Giovanni Boldini o Mariano Fortuny, dall'altra ogni riferimento alla tradizione e ogni sovrabbondanza di stile viene riassorbita in una svolta pittorica di grande essenzialità che crea un ulteriore distacco dalle immagini dipinte, una barriera all'emotività facile di primo acchito, verso un linguaggio ancora più scarno e 'silente', pur nell'eccedenza cromatica e nella monumentalità antiretorica della sua arte.

In questo gioco di distanziamento emotivo sembra che il blu rivesta un ruolo essenziale: Come sosteneva Marsilio Ficino esso trascende la solenne geografia dei limiti umani, protegge il bianco dall'innocenza, trascina il nero della notte negli albori del giorno: il blu è oscurità resa visibile.

Nel pandemonio delle immagini possibili il blu di Papetti è la visibilità dell'invisibile, una possibilità infinita che si fa sensibile. Il blu della sua pittura diviene l'equivalente dell'accesso al 'mistico' di Wittgenstein: da immagini che dicono il mondo a un mondo costituito dalle immagini stesse, sino al disagio di accedere all'impossibilità di rappresentare la verità attraverso le immagini.

Gianluca Ranzi
Fondazione Mudima

stately stillness, arrested as emblems of decay; his portraits have no need to light up with ecstasy or to wallow in desperation. Instead, his Figures live in the middle, eternally in transit, never fully comprehensible, between the no longer and the not yet, in search of de-finition, like Nietzsche's tightrope walker balanced on the cord, between the thrill of the heights and the fear of falling.

In Papetti's painting the role of the black that separates photo frames can be assumed by blue, utilized in a full variety of shades. Just as black functions to separate sequences, the blue that acts as background and soaks the characters produces an effect, canceling any form of decorative aestheticism, making the figures gleam.

Once again, his painting makes us uneasy: while on the one hand it is constructed with a skill that reminds us of Giovanni Boldini or Mariano Fortuny, on the other every reference to tradition and every stylistic surplus is absorbed by a pictorial breakthrough of great essential impact, which creates a further detachment from the painted images, a barrier to the facile emotional charge of the first glance, moving toward an even leaner, more 'silent' language, in spite of the chromatic surplus and the antirhetorical monumentality of his art.

In this game of emotional distancing blue seems to play an essential role. As Marsilius Ficinus said, it transcends the solemn geography of human limits, protects white from innocence, drags the black of night into the dawning of day: blue is obscurity made visible.

In the pandemonium of possible images the blue of Papetti is the visibility of the invisible, an infinite possibility that becomes perceptible. In his painting blue becomes the equivalent of the access to the 'mystic' of Wittgenstein: from images that speak a world to a world composed of the images themselves, all the way to the uneasiness of access to the impossibility of representing truth through images.

Gianluca Ranzi
Fondazione Mudima

Pittura per i ciechi

Una conversazione con Alessandro Papetti, 6 e 9 aprile 2005

Ginevra Quadrio Curzio

D: Già nei suoi primi lavori la critica ha visto la manifestazione di un talento pittorico maturo, mentre le sue biografie riassumono la sua formazione con la frase laconica "si dedica alla pittura dopo gli studi classici". Sembra quasi che lei sia comparso all'improvviso dal nulla. Qual è il percorso attraverso il quale è arrivato alla pittura?

R: Sono autodidatta nel senso che non ho fatto mai nessuna scuola d'arte. Ho frequentato un po' di lezioni di storia dell'arte all'Accademia, ma come infiltrato. Non ero iscritto, e mi intrufolavo nei corsi che mi interessavano. A diciannove anni, quando ho voluto imparare l'incisione, ho lavorato sei mesi in una stamperia d'arte, facendo pratica sul campo. Per quanto riguarda la pittura, invece, ho imparato nel modo più classico, sbagliando. Da bambino ho scoperto il disegno come uno dei giochi più belli. Poi da ragazzo, quando ho cominciato a usare i colori e a dipingere, ho sentito il bisogno di farmi la mano copiando i maestri del passato. Mi ero allestito una sorta di bottega casalinga. Crescendo, e cominciando a capire qualcosa di più sia di me che della pittura, ho scoperto che altri pittori del passato, che prima non conoscevo o magari non mi interessavano, avevano affrontato e risolto a modo loro quelli che erano allora i miei problemi relativi alla pittura e al suo significato. Lì è cominciata una serie di innamoramenti: c'è stata la fase baconiana, la fase più giacomettiana, e così via. Il mio è stato un iter molto privato, personale. Non avendo avuto maestri che mi indirizzassero, me li sono scelti quando e come mi servivano.

D: Quali sono stati i suoi maestri ideali?

R: Oltre a Bacon e Giacometti, che ho già nominato, anche molti altri pittori del passato. È stato un percorso di crescita per certi versi paragonabile all'ascolto musicale. Ci sono dei periodi o degli anni in cui certe cose non si capiscono, non ci piacciono. Forse noi amiamo quello che in qualche modo già ci appartiene, perché fa parte di noi. Se si ascolta una musica di cui dentro di sé non si ha ancora neppure una piccola nota, non la si sa riconoscere e non la si sa amare. Cambiando, si scopre che certe cose invece ci appartengono, e può anzi darsi che per un certo periodo diventino per noi il massimo riferimento, e

Painting for the blind

A conversation with Alessandro Papetti, April, 6 and 9, 2005

Ginevra Quadrio Curzio

Q: Already in your first works critics saw the manifestation of a mature talent, while your biographical notes sum up your training with the laconic phrase "he devoted himself to painting after classical studies". You seem almost to have appeared from out of nowhere. What was the path that led you to painting?

A: I am self-taught in the sense that I never attended art school. I did audit some art history courses at the Accademia, but as an intruder. I wasn't registered, I just sat in on courses that interested me. When I was 19 I wanted to learn engraving, so I worked for six months in an art printshop, gaining practical experience. For painting, on the other hand, I learned in the most classical way, by trial and error. As a child I had discovered drawing as one of the most enticing pastimes. As a young man, when I began to use paint, I felt the need to get into it by copying the masters of the past. I set up a sort of homemade studio. As I developed I began to understand more about myself and about painting, I discovered other painters of the past I had overlooked, or others that hadn't seemed interesting before. In their own way they had approached and solved the problems I was encountering regarding painting and its meaning. A series of love affairs began: there was the Bacon phase, the Giacometti phase, and so on. My path has been very private, personal. In the lack of teachers to guide me I chose my own masters when and as I needed them.

Q: Who were these ideal masters?

A: Besides Bacon and Giacometti, there were also many other painters from the past. It was a growth path similar, in some senses, to musical listening. There are periods or years in which you don't understand certain things, you don't like them. Perhaps we love what already belongs to us, in a certain way, because it is part of us. If you listen to a certain kind of music without having even one little note of it inside you yet, you won't recognize it or know how to love it. As we change we realize that certain things are a part of us, and for a while they may even become our main point of reference. This means moving forward, growing. Besides Bacon and Giacometti, I listened to many other notes and found echoes of things that interested me. I'm not talking about themes. The focus on themes is often misleading,

James Lord nello studio di Parigi davanti al suo ritratto, 1995 / James Lord with his portrait, Paris studio, 1995

Tommaso Trini nello studio di via Frisi, 1987 / Tommaso Trini, studio of Via Frisi, 1987

così si va avanti, si cresce. Oltre a Bacon e Giacometti sono state molte altre le note che ho ascoltato e in cui ho trovato un'eco di ciò che mi interessava. Non parlo delle tematiche. Spesso sulla pittura si equivoca, parlando delle tematiche, come nelle mostre a tema in cui si mettono insieme molti pittori che non hanno nulla a che spartire uno con l'altro. La differenza in pittura non è data dai temi, ma dal modo. E in questo ad esempio ho sentito vicina la gestualità di Boldini, che si può dire abbia scoperto l'action painting molto prima degli americani.

D: Soprattutto ai suoi esordi è stato accostato alla variante 'locale' della 'nuova figurazione', il 'realismo esistenziale' italiano e in particolare lombardo...

R: Sì, per quel periodo del dopoguerra, tra il 1958 e il 1960, ho avuto un innamoramento molto intenso. Quello che mi colpisce del lavoro dei pittori di quel periodo è il fatto che è una pittura in bilico. Questi pittori consideravano anche le loro cose più informali assolutamente figurative. Alcuni di loro li ho conosciuti, li conosco, alcuni non ci sono più, sono morti, ma hanno fatto, e alcuni fanno ancora, una pittura sì figurativa, ma che porta in sé tutte le tracce della sperimentazione non tanto dell'astrattismo quanto dell'informale. Questo essere in bilico, il momento di non definizione che dà ancora più importanza e spessore alle cose e non permette di appiccicare a questa pittura un'etichetta limitante, mi ha sempre intrigato molto.

in painting, as in those theme exhibitions that put together many painters that otherwise have nothing in common. The difference in painting isn't the subject, it's the way of painting. In this sense I have felt close to the gestures of Boldini, who might be said to have discovered Action Painting well in advance of the Americans.

Q: Above all, after your debut you were compared to the "local" variety of the "New Figuration", Italian "existential realism", especially that of Lombardy…

A: Yes, I had a very intense love affair with that postwar period, from 1958 to 1960. What strikes me about the work of the painters of that period is the fact that the work is balanced, wavering. These painters thought of even their most informal things as being absolutely figurative. I've met some of them, I know them, others are dead now. They made, and some of them still make, painting that is figurative, but also contains all the traces of the experimentation not so much of abstraction as of the informal. This balancing act, the moment of non-definition that gives even greater importance and depth to things, preventing you from being able to stick a limiting label on this painting, has always greatly intrigued me.

Q: What fascinates you, then, is the border zone between figuration and abstraction, or non-definition?

A: Yes, also because I think the word 'figurative' is too vague to mean anything.

Miriam Mafai di fronte al ritratto di James Lord, 1995 / Miriam Mafai with the portrait of James Lord, 1995

D: Quello che la affascina dunque è la zona di confine tra figurazione e astrazione o non definizione?

R: Sì, anche perché io ritengo che la parola 'figurativo' sia troppo vaga per significare qualcosa. Rientrano in questa categoria lavori come quelli del realismo esistenziale, ma anche l'iperrealismo. Dobbiamo allora dire che tutto è figurativo, anche il lavoro più informale? Le categorie rischiano sempre di diventare trappole che invece di chiarire confondono le idee. Lo stesso vale per la contrapposizione tra arte concettuale e pittura. Non è 'concettuale' anche dipingere? L'esclusione forzata, perché fin troppo voluta, di un mezzo espressivo non garantisce automaticamente un'arte di grandi contenuti. Se la ricerca di una non estetica o di un non risultato è voluta, io personalmente non trovo che debba essere necessariamente apprezzabile. Rispetto al mio vissuto personale della pittura, l'idea di togliere qualcosa alla realizzazione dei miei lavori per far sì che emerga chiaramente la parte 'concettuale', significa dare qualcosa in meno. Anche se storicamente ha avuto e ha tuttora la sua importanza, mi sembra che così si rischi di comprimersi in confini angusti, cioè di avere una pretesa esclusivamente mentale e costruita. Trovo che sia un modo tra gli altri di concepire l'arte. Quello che non accetto è la necessità di negare una cosa per affermarne un'altra.

D: Per i pittori degli anni cinquanta cui si sente legato la scelta del realismo, della figurazione era una scelta di campo forte, con accenti spesso anche politici, che avveniva all'interno della contrapposizione tra realismo e astrattismo. Che significato ha questa scelta per lei nel mutato panorama dell'arte contemporanea?

R: Prima di tutto io non parlerei di scelta, cioè di una cosa così voluta. Nel mio percorso non c'è stato niente di tutto questo. Io non ho voluto dimostrare niente a nessuno e non mi sono mai preoccupato dell'etichetta che altri avrebbero potuto dare al mio lavoro. Ho trovato sul mio percorso cose che evidentemente mi assomigliavano e rispecchiavano quella che era la mia crescita artistica. Ma non ho mai fatto scelte così coscienti e ragionate. Per capire quello che faccio e che ho fatto, personalmente ho bisogno di storicizzare, di lasciar passare del tempo. Rivedendo quello che ho fatto negli anni passati, oggi sono in grado di ricostruire i motivi per cui sono passato da un soggetto e da una modalità a un'altra in un dato momento. Ma mentre questo accade non sono in grado di darne una spiegazione razionale. Mi aggiro cercando di fare emergere qualcosa che ho dentro, ma prima che il mio tentativo abbia successo passa parecchio tempo. E se qualcuno mi chiedesse di spiegargli quello che sto facendo attualmente gli dovrei rispondere di tornare a chiedermelo tra qualche anno.

D: Recentemente anche nell'arte contemporanea il tabù assoluto che per tanti anni ha gravato sulla figurazione e la pittura è caduto. Eppure il lavoro dei pittori figurativi che non è più una rarità vedere alle biennali è molto diverso dal suo. Mi sembra che in genere la nuova pittura contemporanea lavori sull'immagine

This category can include works such as those of existential realism, but also hyperrealism. So do we have to say that everything is figurative, even the most informal work? Categories always threaten to become traps, instead of clarifying they tend to confuse ideas. The same is true of the opposition between conceptual art and painting. Isn't painting also 'conceptual'? The forced exclusion, based on excessive emphasis, of one medium of expression doesn't automatically guarantee art with greater content. If the pursuit of a non-aesthetic or a non-result is intentional, personally I don't think this means it is necessarily admirable. With respect to my personal experience of painting, the idea of subtracting something from the realization of my works to make the 'conceptual' side emerge more clearly means offering something less. Though historically this has had and still has its importance, it seems to me there is the risk of closing oneself within narrow confines, of having an exclusively mental, constructed pretense. I think this is just one way, among many, to conceive of art. What I don't accept is the necessity of denying one thing to affirm another.

Q: For the painters of the 1950s with whom you feel a link the choice of realism, of figuration, was a clear matter of taking sides, often with political overtones, in the opposition between realism and abstraction. What does this choice mean to you, today, in the changed panorama of contemporary art?

A: First of all I wouldn't say it is a choice, or something so completely intentional. In my path nothing of the sort has taken place. I haven't tried to prove anything to anyone, and I've never thought about what labels others might apply to my work. Along the way I have found things that evidently resembled me and reflected my artistic growth. But I haven't made conscious, calculated choices. To understand what I do and have done, personally I need some historical context, to let some time pass. Looking back on what I have done in past years, now I can reconstruct the motivations for the passage from one subject or mode to another in a given moment. But while it is happening I cannot provide a rational explanation. I try different things to make something I have inside me emerge, but lots of time passes before I manage to make it happen. And if someone were to ask me to explain what I am doing right now, I'd have to tell him to come back and ask me again in a few years.

Q: Lately even in contemporary art the absolute ban of the recent past on figuration and painting has fallen. Yet the work of figurative painters, though no longer a rarity at the biennials, is very different from your work. It seems to me that the new contemporary painting focuses on the media-conveyed image that is superimposed on much of reality today. As a result we have flat, surface painting, while your painting seems to explore the depths of reality. How do you assess the difference between your realism and that of the most recent painting?

A: I am pretty far from this type of painting based on pure aesthetic research or

Inaugurazione alla Galleria Alain Blondel di Parigi con James Lord, 1997 / With James Lord at the opening at the Alain Blondel gallery in Paris, 1997

mediatizzata che oggi si sovrappone in gran parte alla realtà, e sia di conseguenza una pittura piatta, di superficie, mentre la sua sembra proporre una ricerca sulla profondità del reale. Come valuta la differenza tra il suo realismo e quello della pittura più recente?

R: Io sono abbastanza lontano da questo genere di pittura di pura ricercatezza estetica o di precisione quasi fotografica. A volte mi colpisce la tecnica, a volte invece resto deluso, come quando mi sembra di capire che dietro ci sia troppa tecnologia. È una pittura di grande effetto immediato, ma che in genere non suscita in me un interesse duraturo. Anche se molti di questi pittori sono davvero bravi, il rischio è che la superficie abbia la meglio sui contenuti. La precisione tecnica, il colore che stupisce, l'effetto speciale non bastano ad affascinarmi, e spesso sono una specie di struttura che si dovrebbe essere in grado di eliminare per andare oltre. Se non provo emozione, se qualcosa non riesce a 'modificare' nulla in me, non mi sento coinvolto e provo freddezza.

D: Non crede che questa freddezza e assenza di profondità siano intenzionali, rispondano a un'interpretazione della realtà?

R: Può darsi, ma non posso fare a meno di stupirmi del fatto che attualmente questa sia un'interpretazione della realtà così diffusa. Tutto sommato ho abbastanza anni di lavoro alle spalle per ricordarmi di quando si diceva che la pittura era morta. Io non l'ho mai pensato. Forse era morta dentro coloro che sostenevano questa idea, dentro di me è sempre stata viva. Adesso è cambiato il vento e in giro si vede un grande ritorno di pittura e di figurazione. Addirittura tutto è esageratamente figurativo, esageratamente pittorico, al punto di diventare persino stucchevole, un autocompiacimento che non mi interessa. È difficile su que-

Rossana Bossaglia nello studio di Milano, 1993 / Rossana Bossaglia in the studio, Milan, 1993

nearly photographic precision. At times I am struck by the technique, at times I'm disappointed, as when it seems there is too much technology behind it. It's a painting of great immediate impact, but it doesn't usually generate lasting interest in me. Though many of these painters are really very good, the risk is that the surface may overwhelm the content. The technical precision, the amazing color, the special effect are not enough to fascinate me, and often they become a kind of structure that one should be capable of eliminating, to go beyond it. If I don't feel emotion, if something doesn't manage to 'modify' anything in me, I don't feel involved and I feel coldness.

Q: Don't you think this coldness and absence of depth are intentional, reflecting an interpretation of reality?

A: Perhaps, but I can't help being amazed that this is such a widespread interpretation of reality today. All told, I have enough experience to remember when people were saying that painting was dead. I never thought so. Maybe it was dead inside those who supported that idea, but inside me it has always been alive. Now the direction has changed, and we are seeing a great return to painting and figure. To the point of everything becoming exaggeratedly figurative, exaggeratedly pictorial, even becoming trite, self-satisfied, which I find uninteresting. At this point it's hard to avoid clichés, but in many ways we human beings are banal. I find myself forced to discuss things in terms I've always detested. When there is a crisis of values and you no longer know what to believe in, people feel the need for things that are a bit more true, more concrete. And you can speculate on this, just as you could profit from its opposite in the past. Art, when it's authentic, is always autobiographical, it comes from personal experiences. I dig inside myself, at times I find something, at times I get stuck, but this is the direction in which I work.

sto punto evitare i luoghi comuni, ma noi esseri umani siamo per molti versi banali. Mi trovo costretto a fare un discorso che ho sempre detestato. Quando ci sono crisi di valori e non si sa più bene a cosa credere, allora si sente il bisogno di cose un po' più vere, più concrete. E su questo si può speculare così come prima si speculava sull'opposto. L'arte, se è autentica, è sempre autobiografica, nasce dalle esperienze personali. Io scavo dentro di me, a volte riesco a trovare qualcosa, a volte anche mi impantano, ma questa è la direzione in cui lavoro. È evidente quindi che per me la rappresentazione, per quanto virtuosistica e ricca di particolari, della pura esteriorità dell'esistenza fisica, non riveste alcun interesse. Questo lavoro di scavo interiore mi costringe a cercare qualcosa che rappresenti anche la mia anima. E qui è il travaglio, qui nasce un tipo di pittura che necessita ad esempio dell'utilizzo più gestuale della materia. Questa mi sembra la differenza sostanziale. La superficie, la mia come quella altrui, non mi interessa. Per questo qualsiasi ritratto io faccia, anche se di terze persone, è in qualche modo autobiografico, perché rispecchia il mio vissuto e la mia esperienza, anche emotiva, del momento.

D: Un grande pittore figurativo della scuola di Lipsia, Bernhard Heisig, dice, con un certo gusto per la provocazione: "Avanguardia – mi infastidisce solo la parola. Non è altro che un cliché ormai sbiadito. Quest'idea che l'artista debba sempre essere un reietto e un genio e che crei soltanto novità senza attingere ad altro che a sé stesso, senza maestri, senza regole, originale fino all'incoscienza. Che idiozia". La sua è una scelta cosciente di inattualità?

R: Bisognerebbe ricominciare a usare i termini in maniera appropriata. La parola avanguardia, come la parola 'evento', è ormai così abusata da avere perso ogni significato. Certo non si può assolutamente dire che tutto sia inautentico, ma senza dubbio è più facile che la speculazione prolifichi su ciò che non è confrontabile. La sperimentazione, se è fine a sé stessa, è solo un'invenzione, e un'invenzione non è detto che sia per forza un'opera d'arte. In secondo luogo sono convinto che niente si inventa, che, anche se non ce ne si rende conto, qualcuno prima di noi una traccia, seppur piccola, l'ha sempre già lasciata. È dunque inutile rivendicare la paternità di novità assolute. Tra le molte cose che ho visto, quelle eccessivamente spettacolari e calibrate sull'effetto mi sembrano, a conti fatti, specchietti per le allodole. La testa mozzata di un'animale vista dal macellaio è normale, esposta a una biennale diventa 'novità', innovazione artistica. Del resto anch'io ho dipinto una testa di capretto. Il fatto di togliere le cose dal loro contesto le fa diventare eccezionali, ma non è certo un'operazione così straordinaria. A volte ho la sensazione che gli artisti non facciano altro che togliere le cose da un posto per metterle in un altro. L'importanza e la differenza stanno tutte nella decontestualizzazione. Questo va bene se è espressione autentica, se l'artista ci mette del suo. Se invece il succo dell'operazione sta tutto nell'effetto, l'interesse che suscita può essere solo molto superficiale e di breve durata. È significativo che le cose più autentiche e forti da questo punto di vista io le abbia viste in natura, e non dentro i musei. Come la

Alessandro Verdi nello studio, 1997
Alessandro Verdi in the studio, 1997

So to me it is evident that representation, however technically accomplished and rich in detail, of the pure exterior of physical existence, is not interesting in itself. This work of inner digging forces me to search for something that can also represent my soul. And here it is labor, giving birth to a type of painting that requires, for example, a more gesture-like use of material. I think this is the substantial difference. The surface, mine or that of others, doesn't interest me. This is why any portrait I make, even of others, is somehow autobiographical, because it reflects my life and my experience, including emotions, of the moment.

Q: A great figurative painter of the school of Leipzig, Bernhard Heisig, says, with a certain taste for the provocative: "Avantgarde – the word itself irritates me. It's nothing but a faded cliché. This idea that the artist always has to be an outcast, a genius who only creates novelty without drawing on anything outside of himself, without teachers, without rules, original to the point of recklessness. What idiocy". Are you making a consciously untimely choice?

A: We need to start using these terms in a more appropriate way. The word avantgarde, like the word 'event', has been so abused that it has lost any meaning. Of course we absolutely cannot say that everything is inauthentic, but it is indubitably more likely that speculation will flourish on what isn't subject to comparison. Experimentation, if it's an end in itself, is just an invention, and an invention isn't necessarily an artwork. Second, I'm convinced that nothing is ever invented, that even if we aren't aware of it someone before us has left a trail to follow, though perhaps a small one. So it is useless to claim to be the inventor of absolutely new things. Among the many things I have seen, the excessively spectacular ones based on effect seem like window dressing, in the long run. The severed head of an animal seen at the butcher shop is normal, but when it is shown at a biennial it

volta che in montagna mi è capitato di vedere un camoscio precipitato perché era stato colpito da un fulmine e divorato dagli altri animali. In questo caso avevo difficoltà a stabilire chi fosse l'artista: il camoscio o il fulmine?

D: Vorrei cercare di seguire le tracce dell'elemento 'esistenziale' nella sua pittura. "Personaggi afferrati sull'orlo di un precipizio, [...] testimonianza sconvolgente di un'epoca di crisi e autodistruzione" e "l'angoscia dell'uomo sentinella del nulla, la radicale impossibilità dell'esistenza di fronte al non senso e alla morte" – in questi termini alcuni critici hanno scritto dei suoi lavori degli anni ottanta. I soggetti scabrosi dei suoi quadri (solitudine, abbandono, la sofferenza fisica e psichica, la follia) e la rappresentazione di figure disumanizzate rimandano a una condizione esistenziale dell'uomo o a condizioni di crisi della modernità?

R: Quanto alla crisi storica, preferisco non esprimermi, non sono la persona adatta a farlo. Per quel che riguarda invece i miei quadri, non ho cercato questi temi intenzionalmente, sono scaturiti dall'elaborazione di quanto ho registrato e accumulato negli anni. Può anche darsi che il mio vissuto sia stato 'sofferto'. Non ho memoria di traumi personali, ho avuto un'infanzia relativamente serena, turbata solo dalla morte di persone care, come capita a tutti. Forse le cose che si accumulano e si stratificano in noi sono in realtà quelle meno straordinarie. Cerco di spiegarmi con un esempio. Qualche mese fa è morta una cara amica, e io non riuscivo a piangere. Per elaborare questo lutto ho deciso di regalarle un quadro: ho preso un mio grande nudo notturno e vi ho dipinto sopra l'immagine di lei, trasformata dalla malattia e dalla morte. E questo mi ha aiutato molto. Può darsi che i grandi traumi ci segnino davvero in modo indelebile. Ma ci sono altre cose, molto meno clamorose, che rimangono dentro di noi per la vita. Io apparentemente ho passato un'infanzia abbastanza felice, ma forse all'interno della famiglia si stava consumando un dramma non espresso, che era invece fatto di silenzi, di piccole cose che potevano insinuare inquietudine o senso di colpa. Tutte queste cose piccole e insignificanti, ma stratificate in tanti anni, vanno a formare il magma, la fanghiglia indefinita in cui poi si pesca scavando in se stessi. Molti critici senza dubbio hanno letto nei miei quadri una rappresentazione di disagio esistenziale, metafisico. Lo stesso Testori, che era rimasto affascinato dalle mie figure viste dall'alto, sosteneva che quelle figure avrebbero dovuto diventare la mia ossessione. Senza dubbio a quel tempo erano la mia ossessione, ma anche la sua, dato che ci si era riconosciuto, identificato. Qualcosa di quell'atmosfera è rimasto sempre nei miei quadri, ma so di volere e potere fare anche altro. Comunque anche in questa mostra si vedranno quadri molto forti. Ho deciso di sbizzarrirmi a esporre i lavori che o non ho voluto vendere perché erano cose molto private, o che addirittura le gallerie hanno rifiutato perché troppo duri. Sarà sicuramente una mostra in cui questa componente del mio lavoro sarà ben rappresentata.

D: Lei ha dipinto anche crocifissioni, e un tema ricorrente dei suoi quadri è quello della follia. Che significato ha la sofferenza fisica e psichica nella sua pittura?

Tiziano Forni nello studio davanti al dipinto *Chiesa di San Zaccaria*, 1997 / Tiziano Forni in the studio with the painting *Chiesa di San Zaccaria*, 1997

Umberto Orsini davanti a *Crocifissione*, 2000 / Umberto Orsini and *Crocifissione*, 2000

becomes 'new', artistic innovation. On the other hand I too have painted a goat's head. Taking things out of their context makes them exceptional, but the operation is certainly nothing extraordinary. At times I have the sensation that all artists do is to take things from one place and put them in another. The importance and difference lie entirely in decontextualization. This works if it is an authentic expression, if the artist adds something of his own. If the gist of the operation is the effect, instead, the interest it generates is very superficial and short-lived. It is significant that the most authentic, strongest things I have seen in this sense were in nature, not museums. Like the time in the mountains when I saw a chamois that fell because it was hit by lightening, devoured by the other animals. In this case it was hard to decide who was the artist: the chamois or the lightening bolt?

Q: I'd like to try to follow the trail of the 'existential' element in your painting. "Characters caught on the edge of a precipice, [...] disturbing witness of an era of crisis and self-destruction" and "the anguish of the man as sentinel of nothing, the radical impossibility of existence in the face of non-sense and death" – these are phrases critics have written about your works in the 1980s. Are the harsh subjects of your paintings (solitude, abandon, physical and psychic suffering, madness) and the representation of dehumanized figures reminders of an existential condition of man or of conditions of crisis of modernity?

A: As for historical crisis I prefer not to comment, I'm not the right person for that. Where my paintings are concerned I haven't intentionally sought out these themes, they have emerged from the development of what I have recorded and accumulated over the years. Maybe my experience has involved 'suffering'. I don't recall particular traumas, I had a relatively happy childhood, disturbed only by the death of loved ones, as happens to everyone. Perhaps the things that accumulate and are lay-

Piero Maccarinelli nello studio di Milano, 1998 / With Piero Maccarinelli in the studio, Milan, 1998

Con Renato Cardazzo e Rinaldo Rotta, 1994 / With Renato Cardazzo and Rinaldo Rotta at the Weimar party, 1994

R: Senza dubbio si dipingono anche le cose che ci fanno paura, perché risvegliano una specie di risonanza. La mia parte meno sana ha paura di riconoscersi nel folle. E nella follia o nella sofferenza altrui si vive la propria, la si esorcizza e la si butta fuori, piuttosto che rischiare di esplodere come una pentola a pressione con la valvola otturata.

D: In questo contesto rientrano forse anche i lavori che lei ha fatto su soggetti di Nan Goldin, Bruce Davidson, Diane Arbus, fotografi e artisti che si sono misurati con l'esibizione delle sofferenze più intime, con la miseria e l'emarginazione, con il dolore dell'individualità.

R: Sì, certo, sono temi forti e molto sofferti. Sarà vero quello che hanno scritto i critici. Forse sono un esistenzialista e non lo sapevo. Non sono però sicuro che ciò che mi ha attratto in loro sia stata esattamente la presenza di temi sofferti. Ad esempio quelle di Nan Goldin sono le uniche fotografie a colori che mi hanno interessato al punto di usarle per il mio lavoro. Solitamente ho una predilezione assoluta per il bianco e nero. Trovo però che le sue fotografie più forti non siano quelle dove il dolore e il disagio sono esibiti platealmente, ma piuttosto quelle in cui la tensione rimane sotterranea, latente. Lo stesso vale per certi pittori, penso ad esempio a Munch. I suoi quadri in cui la tensione è tutta concentrata in uno sguardo rivolto all'osservatore mi colpiscono molto più di quanto non faccia l'urlo, l'angoscia dichiarata.

D: I soggetti e le ambientazioni dei suoi lavori sono stati definiti spesso 'borghesi'. Pensa si possa dire che interpretano il lato oscuro e inquietante di una realtà solo superficialmente rassicurante?

ered inside us are actually the least extraordinary ones. I'll try to explain with an example. A few months ago a dear friend passed away, and I couldn't cry. To come to terms with this grief I decided to give her a painting: I took one of my large nocturnal nudes and painted her image on top of it, transformed by illness and death. This helped me a lot. Perhaps major traumas change us in a truly indelible way. But there are other, less evident things that stay inside us for life. I apparently had quite a happy childhood, but maybe in the family an unexpressed drama was being played out, composed of silences, of little things that might make you uneasy or cause feelings of guilt. All these little, insignificant things, layered across the years, form the magma, the indefinite mud in which you then dig to search inside yourself. Many critics have undoubtedly seen my paintings as a representation of existential, metaphysical discomfort. Testori, who was fascinated by my figures seen from above, said those figures should have become my obsession. Undoubtedly at the time they were my obsession, but perhaps his too, given the fact that he recognized them and identified with them. Something of that atmosphere has always remained in my paintings, but I know that I want to and can do something else too. In any case, in this exhibition there are also very strong paintings. I decided to indulge my whims, to show works I couldn't sell, either because they were very private, or because galleries had rejected them for being to harsh. This will undoubtedly be an exhibition in which this aspect of my work is well accounted for.

Q: You have also painted crucifixions, and a recurring theme in your paintings is that of madness. What is the significance of physical and psychic suffering in your painting?

A: Undoubtedly we also paint things that frighten us, because they awaken a sort of resonance. My less healthy side is afraid of recognizing itself in the madman. We live our own madness and suffering in those of others, exorcising them, expelling them, rather than running the risk of exploding like a pressure cooker with a plugged valve.

Q: This is also the context of the works you have done on pictures by Nan Goldin, Bruce Davidson, Diane Arbus, photographers and artists who have come to grips with the display of the innermost sufferings, with poverty and alienation, with the pain of individuality.

A: Yes, of course, those are very strong, deeply felt themes. What the critics write is probably true. Maybe I'm an existentialist and I didn't know it. But I'm not sure that what attracted me to their work was exactly the presence of painful themes. For example, Nan Goldin's photographs are the only color photos that have interested me to the point of using them for my work. Usually I only like black and white. But I think her best photos are not the ones in which pain and discomfort are openly displayed, but those in which the tension stays underground, latent. The same is true of certain painters, like Munch, for example. His

R: La mia famiglia certo non è mai stata borghese, anche se sicuramente nutriva la legittima aspirazione a un benessere piccolo-borghese fatto di minime cose e sicurezze modeste. Forse chi ha scritto queste cose si riferiva a un ciclo di dipinti piuttosto consistente su interni borghesi, palazzi decadenti o decaduti, o appartamenti di un certo tipo, dove si consumano drammi silenziosi, non dichiarati, si condensano le tracce di sofferenze taciute e stratificate.

D: Torniamo al suo percorso artistico. Ai suoi esordi non c'era ancora l'ossessione per gli interni?

R: All'inizio facevo molto più ritratti e molta più figura.

D: C'è una successione temporale negli innamoramenti che hanno segnato il percorso della sua formazione? È precedente la sua anima baconiana o quella giacomettiana?

R: Non credo che ci sia una successione. Mi sembra che abbiano viaggiato parallelamente, e che siano state due scoperte quasi contemporanee. Dell'uno mi affascinava una cosa, dell'altro un'altra. Ci sono stati forse anni in cui ero più giacomettiano, altri in cui ero più baconiano, ma si è trattato comunque di anni molto vicini tra di loro. E poi si sono alternati, come se stessi tentando di mischiarli e sovrapporli, combinare quel che mi affascinava di entrambi, per poi passare oltre. Tutto questo risale ai primi anni ottanta.

D: In che cosa si sente più legato a Giacometti, e in cosa a Bacon?

R: Quello che mi affascina in entrambi è la consapevolezza dell'importanza dello spazio e della sua relazione fondamentale con il soggetto. Ho sempre avuto la netta percezione di cambiare entrando o uscendo da uno spazio, e che ci fosse una relazione fondamentale fra il contenuto e il contenitore. Nella pittura sia di Bacon che di Giacometti ho trovato una ricerca articolata sul modo in cui lo spazio, che non è un semplice contenitore neutro, ci determina e ci modifica, sul rapporto fra il dentro e il fuori. Le molte figure con la bocca aperta nei loro quadri rappresentano il passaggio fra queste due dimensioni. Lo spazio di Bacon è uno spazio chiuso, claustrofobico, in apparenza piatto in contrasto con una figura trattata in modo invece molto dinamico e materico, tanto da assomigliare quasi a un altorilievo. In questo modo uno spazio scarno di particolari narrativi diventa cassa di risonanza dell'energia e della vibrazione concentrate nella figura. In Giacometti invece c'è la capacità, che viene dalla scultura, di collocare le figure in uno spazio a 360 gradi, e il tentativo di rompere i confini dello spazio chiuso. Tecnicamente, mi aveva colpito il fatto che nei quadri di Giacometti c'è spesso una specie di controconfine, pochi centimetri prima del confine vero e proprio della tela, un confine dipinto, disegnato, però un po' rotto, spezzettato. Questo destabilizza la percezione del limite del contenitore.

Paolo Biscottini
Milano, 2001

Enrico Rava
Milano, 2001

paintings in which the tension is entirely concentrated in a gaze aimed toward the observer strike me much more than the scream, the stated anguish.

Q: The subjects and settings of your works have often been defined as 'bourgeois'. Do you think they interpret the dark, disturbing side of a reality that is only reassuring on the surface?

A: My family was certainly never bourgeois, though they did have the legitimate aspiration of attaining a middle-class condition of wellbeing made of minimal things and modest securities. Perhaps the people who wrote those things were referring to a rather large cycle of paintings of bourgeois interiors, decadent or decaying buildings, or apartments of a certain type, where mute, unacknowledged dramas are played out, where the traces of silent, stratified suffering are condensed.

Q: Let's get back to your artistic path. At the beginning you were not obsessed with interiors yet?

A: At the start I did a lot more portraits and figures.

Q: Is there a temporal sequence of the love affairs that marked your development? Which comes first, your love for Bacon or your love for Giacometti?

A: I don't think there is a sequence. It seems they traveled in parallel, and were two almost simultaneous discoveries. In one I was fascinated by one thing, in the other by another thing. Maybe there were years in which I was more

D: In un testo scritto per un catalogo del 1997 lei ha raccontato dell'esperienza che le ha permesso di staccarsi dalla figura paterna di Giacometti.

R: Sì, è una storia davvero straordinaria. Amando Bacon e Giacometti avevo letto tutto quanto era possibile sull'uno e sull'altro, tra cui gli scritti su Giacometti di James Lord. Il caso volle che un critico italiano mio amico, Marco Vallora, mi invitasse a una serata in occasione della presentazione di un libro di James Lord su Picasso e Dora Maar. Andai a questa serata di gala sentendomi a disagio come in tutte le occasioni di questo genere, e mi trovai di fronte a un personaggio straordinario, che mi tenne a parlare quasi due ore, guarda caso, proprio di Giacometti. Non so come sia accaduto, può darsi che lui avesse visto qualcosa di mio in precedenza, dato che avevo da poco cominciato a lavorare con una galleria di Parigi, dove lui vive. Mi diede il suo indirizzo e ci rivedemmo a Parigi, dove in quegli anni avevo anche uno studio, e ci frequentammo per quattro o cinque anni con un'amicizia piuttosto bella. Lord mi chiamava ogni tanto e mi proponeva di uscire a cena. Mi portava in un preciso ristorante a un tavolo preciso, e mi raccontava che 40 anni prima era stato seduto proprio a quel tavolo con Picasso e Balthus. Mi raccontava la storia dell'arte del periodo d'oro di Parigi attraverso aneddoti e piccole storie quotidiane straordinarie. Da questa frequentazione mi nacque l'idea di fargli il ritratto, un'idea temeraria di cui solo in seguito ho capito il significato. Mi ero imbarcato nell'avventura di fare il ritratto di una persona che Giacometti, il mio grande padre, aveva ritratto 40 anni prima. Sono riuscito a fare questo quadro solo dopo un anno e mezzo di fatica inenarrabile. Continuavo a lavorare ai miei quadri normalmente, ma ogni volta che prendevo in mano il ritratto di James Lord mi sembrava di non avere mai dipinto in vita mia. Il confronto diretto con il grande padre mi bloccava completamente. Una notte finalmente finii il quadro, verso le quattro di mattina, e fino alle sei non riuscii a smettere di piangere per la gioia, il senso di liberazione e di sollievo. Quando Lord finalmente venne a vederlo però, rimase a fissarlo in silenzio per cinque lunghissimi minuti d'orologio, poi senza dire una parola si voltò per andarsene. Mi chiamò solo una settimana dopo per scusarsi. Davanti al quadro che lo ritraeva quarant'anni dopo Giacometti non era riuscito a superare lo choc di vedersi, nella sua immagine pittorica, come un vecchio. Ma volle avere il quadro, che gli piaceva molto. Oggi sono venuto a sapere che in un nuovo libro di Lord c'è un paragrafo dedicato all'incontro traumatico con il mio dipinto.

D: Lei parla di quest'esperienza, che risale al 1995, come di una crisi. In che modo ha influito questa crisi, questa rottura, sul suo lavoro?

R: Non c'è dubbio che questa esperienza abbia cambiato il mio lavoro, anche se non so ben collocare il cambiamento nel tempo, dire quando esattamente ho deciso di fare un nuovo ciclo di dipinti. I miei cambiamenti sono molto lenti.

D: Il suo sembra essere un percorso contrassegnato più che da stacchi improvvi-

Nello studio di Milano / In the Milan studio

Giacomettian, others in which I was more Baconian, but it was all in the same period of time. Then they alternated, as if I were trying to mix or overlap them, to combine what fascinated me from each, so I could move on. All this was happening in the early 1980s.

Q: In what aspect do you feel closest to Giacometti, and to Bacon?

A: What intrigues me about both is the awareness of the importance of space and its fundamental relationship with the subject. I've always had the clear perception of changing when I enter or exit a space, of a fundamental relationship between the content and the container. In the painting of both Bacon and Giacometti I found an articulate research on the way in which the space, which is not a mere neutral container, determines us and modifies us, on the relationship between inside and outside. The many figures with open mouths in their paintings represent the passage between these two dimensions. The space of Bacon is a closed, claustrophobic one, apparently flat, in contrast with the figure that is treated, instead, in a very dynamic, materic way, to the point of almost seeming like a relief. In this way a space stripped of particular narrative elements becomes a resonating chamber for the energy and the vibrations concentrated in the figure. In Giacometti, on the other hand, there is the capacity, which comes from sculpture, to position the figures in a 360-degree space, and the attempt to break the boundaries of closed space. Technically I was struck by the fact that in Giacometti's paintings there is often a sort of counter-border, a few centimeters before the true edge of the canvas, a painted, drawn border, but a bit broken, chopped. This destabilizes perception of the limits of the container.

Q: In a text written for a catalogue in 1997 you told of the experience that permitted you to separate from the father figure of Giacometti.

Nella casa di James Lord, a Parigi, 1995 / At James Lord's house, Paris, 1995

si e novità, dalla contemporaneità di temi e modalità diversi che si alternano, si sovrappongono, si affiancano...

R: Direi di sì, ad esempio il tema degli interni, come quello dei ritratti, mi accompagna sin dagli anni ottanta. Inizialmente erano stanze vuote o atelier, poi palazzi, poi interni di fabbrica, fino a che negli anni novanta non ho realizzato il ciclo più lungo di interni di fabbrica, che è stato esposto alla Villa Manzoni di Lecco. Ci sono però anche rotture e salti, anche se la lentezza con cui avvengono non li fa sembrare tali. I quadri dell'acqua, ad esempio, hanno segnato uno stacco piuttosto significativo. Per poterli dipingere ho avuto bisogno di quattro o cinque anni. C'era l'intuizione, ma ero ancora troppo legato ai miei interni ferrosi, solidi. Dovevo diventare un po' più liquido, e ci ho messo molto tempo. Anche qui: ho cercato maestri che mi aiutassero a esprimere quello che sentivo, ma in pittura non riuscivo a trovare praticamente nulla. Mi piaceva l'acqua nera di un quadro di Rembrandt, mi piacevano pittoricamente certe cose di Böcklin, ma erano troppo allegoriche, le donne nell'acqua preraffaellite avevano un senso molto lontano da quello che cercavo. Alla fine ho trovato quello che mi serviva nel cinema, rivedendo per caso il *Film blu* di Kieslowski. Ma quando sono riuscito a capire quello che volevo fare, questo ha sbloccato anche altre possibilità. Il ciclo sui cantieri navali senza dubbio è figlio dei quadri sull'acqua, che sono stati il mio primo tentativo di uscire dall'interno verso l'esterno. Un tentativo a dire il vero non ancora così riuscito. I notturni o le figure sott'acqua sono ancora in qualche modo degli interni. Però è stato un primo passo verso un'uscita. E solo dopo sono potuti venire i cantieri navali e il ciclo dei nudi notturni. I nudi che facevo prima erano estremamente ambientati, erano ritratti di persone nude in un interno, mentre negli ultimi ho addirittura tolto il viso per eliminare la connotazione di ritratto. Da circa otto anni, poi, porto con me il progetto di un altro

A: Yes, it's a truly extraordinary tale. As I loved Bacon and Giacometti I read everything I could get my hands on about them both, including the writings on Giacometti by James Lord. As luck would have it an Italian critic and friend of mine, Marco Vallora, invited me one evening to the presentation of a book by James Lord on Picasso and Dora Maar. I went to this gala event feeling rather uncomfortable, as I always do on such occasions, and found myself face to face with an extraordinary personality who kept me talking for almost two hours about, of all things, Giacometti. I don't know how it happened, maybe he had seen some of my work previously, as I had recently started working with a gallery in Paris, where he lives. He gave me his address and we met up again in Paris, where I also had a studio at the time, and for four or five years we were very friendly and saw a lot of each other. Lord would call me now and then and ask if I wanted to go out to dinner. He would take me to a precise restaurant and a precise table, and tell me that exactly 40 years earlier he had sat at just that table with Picasso and Balthus. He told me the history of art of the golden period of Paris, through anecdotes and fascinating little stories of everyday circumstances. This friendship led to the idea of doing a portrait, a rather reckless idea of mine, as I was to discover later. I had set myself the task of making the portrait of a person whose portrait had been painted 40 years earlier by Giacometti, my great forebear. It took me a year and a half of unspeakable effort. I continued working normally on my other paints, but every time I went back to work on the portrait of James Lord I felt like an absolute beginner. The direct comparison with my father figure blocked me completely. One night I finally finished the painting, at about four in the morning. Until six I couldn't stop crying for the joy, the sense of liberation and relief. When Lord finally came to see it, though, he looked at it in silence for five endless minutes, then without a word turned and left. He didn't call me to apologize until one week later. Faced with his portrait forty years after the one by Giacometti he couldn't handle the shock of seeing himself painted as an old man. But he wanted the painting, he liked it very much. Now I've found out that in a new book by Lord there is a paragraph on his traumatic encounter with my painting.

Q: You talk about this experience, which dates back to 1995, as a crisis. How did this crisis, this break, influence your work?

A: There is no doubt that this experience changed my work, though I couldn't really place it in time, or say exactly when I decided to make a new cycle of paintings. My changes are very slow.

Q: Your path seem to be marked not so much by sudden shifts and new things as by the simultaneity of different themes and modes that alternate, overlap, flanking one another...

A: I would say yes; for example, the theme of the interiors, like that of portraits,

ciclo che però dovrò ancora cambiare molto per poterlo realizzare. Si tratta di un ciclo sull'aria o il vento, l'ultimo elemento che mi resta dopo l'acqua, la terra e il fuoco su cui in qualche modo ho già lavorato molto intensamente nei miei interni. Anche se non ho nessuna intenzione di abbandonare la figurazione, si tratterebbe di un ciclo molto più astratto dei precedenti, ma non in senso pittorico. Sinora il tema in cui più mi è sembrato di avvicinarmi a un'astrazione è stato quello della follia. Una cosa che mi ha molto colpito in questo contesto è quello che credo sia stato l'ultimo ciclo di fotografie scattate da Diane Arbus prima che si uccidesse. Era dedicato a un gruppo di alienati che venivano portati a festeggiare Halloween in una sorta di giardino pubblico, all'aperto, e ritratti con la maschera. Questa maschera era come se raddoppiasse e amplificasse l'astrazione mentale, l'essere altrove che già di per sé caratterizza la follia. Mi ha affascinato anche il fatto che lo sfondo, seppure un po' sfuocato, di queste belle immagini in bianco e nero, fosse un paesaggio, fatto di cielo e prato divisi solo da una striscia più scura di alberi, e dunque la figura si trovasse in un esterno. Ecco di nuovo, se si vuole: la figura centrale così tesa, così forte, è baconiana, mentre l'idea dell'apertura, dello sconfinamento, è giacomettiana – anche se oggi Bacon e Giacometti, al di là del riconoscimento della loro grandezza e di quello che hanno significato per me, non mi appartengono più tanto. Nelle fotografie della Arbus c'è una sorta di mediazione tra le due anime da cui ha avuto origine il mio lavoro. Ma da questo nuovo lavoro mi sembra di essere ancora così lontano che mi è difficile parlarne.

D: Forse lo è meno di quanto non possa sembrare a prima vista. I suoi ritratti sono sì figurativi, ma anche decisamente antinarrativi. Le figure che rappresentano sono sospese nel vuoto, senza storia che giustifichi la loro presenza in un luogo. Sembrano quasi indecise tra l'esistenza reale e quella fantasmatica di riflessi allo specchio. Qualche critico ha parlato a questo proposito di anamorfosi, di una proiezione deformata della realtà. Questo carattere delle sue immagini – proiezioni, sogni, fantasmi o ricordi? – sottolinea il carattere illusionistico della pittura, e forse può indurre la supposizione che lei dipinga, più che una presenza, un'assenza...

R: Sì, in questo senso la mia pittura non è realista, io trasformo anamorficamente la realtà in un modo che è mio personale. Questo da un lato spiega bene la mia difficoltà a fare ritratti su commissione. I miei ritratti non vengono mai 'bene'. Posso decidere di prendere spunto da una persona, ma il risultato è poco probabile che le assomigli. Anche perché la verosimiglianza e il virtuosismo pittorico non sono ciò che mi interessa. Ho avuto soggetti ricorrenti, come i miei amici Antonio o Rosita. Però entrambi nei quadri a volte erano loro e a volte no. Quanto all'assenza, è in un certo senso quello che ho trovato in *Film blu* e che mi ha permesso di realizzare il ciclo di dipinti sull'acqua. Kieslowski racconta una storia di vita, e le scene in cui Juliette Binoche nuota nella piscina notturna rappresentano come degli stacchi dalla realtà, degli intervalli o delle

Nello studio di Milano / In the Milan studio

has been with me since the 1980s. At first they were empty rooms or ateliers, then buildings, then factories, until the 1990s, when I made the longest cycle of factory interiors, which was shown at Villa Manzoni in Lecco. But there have also been breaks and leaps, though due to the slow pace they don't look so sudden. The water paintings, for example, are a significant break with the past. It took me four or five years to be able to paint them. The intuition was there, but I was still too connected to my solid, ferrous interiors. I had to become a bit more liquid, and that took me some time. Here again, I looked for masters to help me express what I was feeling, but in painting I managed to find practically nothing. I liked the black water in a painting by Rembrandt, in terms of painting I liked certain things by Böcklin, but they were too allegorical, the Pre-Raphaelite women in water had a meaning very different from the one I was seeking. In the end I found what I needed in cinema, when I saw the film by Kieslowski *Blue* again, by chance. But when I was able to understand what I wanted to do, this opened up other possibilities. The cycle on the shipyards is definitely the offspring of the water paintings, which were my first attempt to go from the inside toward the outside. To be truthful, this attempt was still not very successful. The nocturnal images and the underwater figures are still interiors, in a way. But it was a first step toward an exit. Only after that step could the shipyards and the cycle of nocturnal nudes come. The nudes I made before were extremely integrated in settings, they were portraits of naked people in an interior, while in the latest ones I have even removed the face, to eliminate the idea of the portrait. For about eight years now I have had a project for another cycle, but I still have to make many changes to be able to realize it. This would by a cycle on air or wind, the last element remaining to me after the water, earth and fire on which I have worked very intensely in my interiors. Though I have no intention to abandon figurative painting, this would be a much more abstract cycle that its predecessors, though not in the painterly sense of the term. Until now, the theme in

parentesi rispetto al divenire e all'azione. L'immagine un po' folle e un po' presuntuosa (per l'impossibilità di quello che pretende) di cui mi servo per spiegare cosa vorrei fare è quella della banda nera, del non luogo che separa un fotogramma dall'altro. È questa interruzione, questa sospensione che io vorrei dipingere. E questo è anche ciò che mi ha colpito nelle fotografie della Arbus di cui abbiamo appena parlato: lo spazio tra le due astrazioni, tra la maschera e la follia, mi sembra che assomigli molto alla banda nera tra due fotogrammi di una pellicola.

Treccani davanti al dipinto *Gara di ballo, omaggio a Diane Arbus*, 1993 / Treccani with the painting *Gara di ballo, omaggio a Diane Arbus*, 1993

Giovanni Testori nello studio di via Frisi, 1989 / Giovanni Testori, studio of Via Frisi, 1989

D: C'è qualcosa di simile anche nei suoi interni, da cui emana una sensazione di sospensione nel tempo, di vuoto così forte da esercitare un'attrazione quasi fisica sull'osservatore. In un testo del 1992 lei ha scritto che "la percezione di vuoto [...], riportata sulla tela, è l'unica struttura capace di reggere le fondamenta e tenere in piedi le pareti di quella cattedrale". Si può dire che la sua pittura sia una ricerca sul nulla come essenza delle cose caduche e transitorie?

R: Mi sembra praticamente impossibile affrontare il tema del nulla e del vuoto in un discorso. Pensare al vuoto razionalmente è impossibile. E io non mi sono mai sentito attratto ad esempio da pratiche come la meditazione. Il nulla non è un luogo fuori da me o dalle cose, è un elemento impercettibilmente presente all'interno di tutto ciò che esiste. È come se fosse la conferma per negazione dell'esistenza di una cosa. Ci deve essere per forza, ma non se ne può parlare, e il fatto che nella mia pittura emerga mi sembra già un miracolo.

which I have gotten closest to abstraction has been that of madness. One thing that struck me deeply in this context is what I believe is the last cycle of photographs taken by Diane Arbus before she killed herself. It was on a group of psychiatric patients taken to celebrate Halloween in a sort of public park, outdoors, wearing masks. The mask seems to double or amplify the mental abstraction, the being elsewhere that already characterizes madness. I was also fascinated by the fact that the background, though slightly out of focus, of these beautiful black and white images is a landscape, composed of sky and meadow, divided only by a darker strip of trees, meaning the figures are in an outdoor setting. Once again, if you will, we have the tense, strong, central figure, as in Bacon, with the idea of openness, of boundlessness, as in Giacometti – though today Bacon and Giacometti, beyond recognition of their greatness and what they have meant to me in the past, are no longer so relevant to my work. In Arbus's photos there is a kind of intermediation between the two souls that lie at the origin of my research. But I am still so far from this new cycle that it is hard to talk about it.

Q: Maybe you are not so far as it looks at first glance. True, your portraits are figurative, but they are also decidedly anti-narrative. The figures they represent are suspended in the void, without a history that would justify their presence in a place. They seem almost undecided between real existence and the phantom existence of reflections in a mirror. Some critics have referred to anamorphosis, a deformed projection of reality. This character of your images – projections, dreams, phantoms or memories? – underlines the character of painting as illusion, and may lead to the conclusion that what you paint is less a presence than an absence...

A: Yes, in this sense my painting is not realistic, I anamorphically transform reality in my own personal way. This explains, for example, my difficulties in doing portraits on commission. My portraits never come out 'right'. I can decide to draw an impulse from a person, but the result will probably not resemble him or her. Also because I'm not interested in resemblance or virtuoso painting. I have recurring subjects, like my friends Antonio and Rosita. But both of them, in the paintings, are sometimes themselves, other times not. As far as absence is concerned, in a certain sense that is what I found in *Blue*, which permitted me to make the cycle of water paintings. Kieslowski tells a story of life, and the scenes in which Juliette Binoche swims in the pool at night represent detachments from reality, intervals or parentheses with respect to becoming and action. The rather crazy, rather presumptuous image I use (due to the impossibility of fulfilling its purpose) to explain what I would like to do is the black strip, the non-place that separates one film frame from the next. It is this interruption, this suspension I want to paint. And this is also what struck me in the photographs of Arbus we mentioned above: the space between the two abstractions, the mask and the madness, seems to resemble the black strip between two film frames.

D: Può darsi che dipingere sia un modo per avvicinarsi a questa indicibile struttura portante delle cose?

R: In qualche modo sì, ma solo nella misura in cui avviene come fatto assolutamente inconscio. Del resto, io quando dipingo cerco di distrarre la mia parte razionale, a volte sentendo musica, o anche parlando contemporaneamente con qualcuno. Non voglio dire che io sia poco presente a me stesso quando dipingo, anzi la mia parte più profonda è lì, ma cerco di neutralizzare l'intralcio della mia componente razionale.

D: Da alcuni suoi lavori, come il ciclo intitolato *Reperti* o gli interni di fabbriche, sembra emergere un legame privilegiato della sua pittura con il passato, il ricordo, le cose desuete...

R: In effetti il ciclo dei *Reperti* e gli interni di fabbriche hanno un'origine comune. Li ho fatti nell'ambito di una mia personale ricerca sulla struttura quasi ossea della mia fisicità. Quello che mi colpiva di più in questi soggetti, però, non erano il passato o la storia. Le strutture industriali mi interessavano allo stesso modo in cui mi interessavano gli scheletri e i crani di animali o la forma degli oggetti. L'intenzione era di avvicinarmi a una mappatura della struttura ossea del reale. Le forme degli impianti industriali per me erano come sistemi scheletrici, venosi. Mi interessavano come forme organiche, fortemente fisiche.
C'è però un'esperienza che è confluita nei miei lavori sugli interni e che senza dubbio ha un legame con la potenza evocativa del passato. Mi è sempre parso che i luoghi sconsacrati, paradossalmente, emanassero una sacralità più forte di quelli consacrati e ancora in uso. Dei grandi interni di fabbrica mi affascinava sicuramente anche questa bizzarra sacralità dei luoghi spogli, abbandonati eppure carichi di memoria.

D: Nei suoi quadri c'è un uso molto particolare del colore. Generalmente dominano i toni spenti e freddi, tanto che qualche critico è stato indotto a parlare di una sorta di cecità ai colori luminosi, alle tonalità squillanti. Pensa che del suo uso del colore si possa dare un'interpretazione simbolica, associando ad esempio i toni cenere al tema della caducità?

R: Tanto per cominciare, i colori dei miei quadri sono i colori della mia città. E colori molto usati nella tradizione pittorica lombarda. È vero che molti dei miei lavori sono monocromi giocati tutti sul grigio. Ma il grigio contiene in sé tutti i colori, e mi piace l'idea di libertà che questo comporta. Mi piace l'idea di poter guardare il mio quadro e vederci tutti i colori possibili, come in una fotografia in bianco e nero. Credo anche che il mio uso del colore dipenda strettamente dal fatto che quello che mi interessa non è raccontare, né definire con precisione virtuosistica un oggetto o una figura. Usare il colore puro mi distrarrebbe dall'essenziale. Una valenza simbolica del mio uso del colore posso forse riconoscerla a

Q: There is something similar in your interiors, too, which convey a sensation of suspended time, a void so strong as to exercise almost a physical attraction on the observer. In a text dated 1992 you wrote that "the perception of emptiness [...], reproduced on the canvas, is the only structure capable of sustaining the foundations and the walls of that cathedral". Can we say that your painting is a research on nothingness as the essence of frail, transient things?

A: It seems almost impossible to approach the theme of nothingness and the void in a discussion. It is impossible to think rationally about nothingness. And I've never been attracted, for example, by practices like meditation. Nothingness is not a place outside of me or outside of things, it is an element that is imperceptibly present inside everything that exists. Like the confirmation, by negation, of the existence of a thing. It has to be there, but you cannot talk about it, and the fact that it emerges from my painting already seems like a miracle in itself.

Q: Could painting be a way of approaching this unspeakable structure of things?

A: Yes, in some ways, but only to the extent in which the process is absolutely unconscious. After all, when I paint I try to distract my rational part, at times by listening to music, or by conversing with someone as I work. I don't mean that I am not aware of myself when I paint, actually my deepest part is there, but I try to neutralize the interference of my rational side.

Q: From some of your works, like the cycle entitled *Reperti* (Finds) or the factory interiors, a link seems to emerge between your painting and the past, memory, abandoned things...

A: In effect the *Reperti* cycle and the factory interiors have a shared origin. I did them in the context of my personal research almost on the bone structure of my physical being. But what struck me most about these subjects was not the past or history. I was interested in the industrial structures in the same way I am interested in skeletons or skulls of animals, or the form of objects. The intention was to get closer to a mapping of the bone structure of the real. The forms of industrial plants for me were like skeleton or vein systems. They interest me as organic, highly physical forms.
Yet there is one experience that has found its way into my works on interiors and undoubtedly has a link with the evocative power of the past. I have always thought that deconsecrated places, paradoxically, emanate a stronger sense of the sacred than consecrated places still in use. I was certainly fascinated, in the big factory interiors, by the bizarre holiness of bare spaces, abandoned yet laden with memories.

Q: In your paintings there is a particular use of color. The dominant tones are generally muted and cool, so much so that critics have talked about a sort of

posteriori, così come mi è più facile vederla nei quadri di altri pittori. Mi è capitato ad esempio di rendermi conto, vedendo una bella mostra di Munch, di come il bianco sia il colore che più si adatta a trasmettere inquietudine. Anche nel mio lavoro a diversi cicli di quadri e a diversi periodi corrispondono colori differenti. Ultimamente sto usando, sempre nel monocromatismo, un colore più definito. Mi sono allontanato in parte da quel grigio in bilico tra caldo e freddo, tra una tinta e un'altra, ad esempio con i blu dell'acqua. E alla mia più recente ricerca di una maggiore apertura e astrazione corrisponde la scoperta di un blu niente affatto eccezionale ma che non avevo mai usato, il blu oltremare, più freddo e aereo del blu di Prussia dei nudi notturni, dell'acqua e di alcuni dei cantieri navali.

D: A questo uso del colore si affianca una pennellata molto veloce, sensuale, che sembra seguire i contorni delle cose come se la loro conoscenza passasse più attraverso il tatto che attraverso la vista.

R: La gestualità nel mio lavoro ha un ruolo importante, che in parte coincide con quello del colore. Anche la pennellata veloce, come l'assenza di colori definiti e contrastanti, serve a far sì che l'energia nel quadro non si blocchi in un punto preciso, ma scorra circolarmente. Inoltre, da un punto di vista puramente soggettivo, la velocità è un modo di non darmi il tempo di pensare a quel che faccio, di escludere il calcolo razionale e l'intenzionalità della composizione.

D: Può spiegarmi in che senso ha detto che questo gesto è "necessariamente veloce perché deve sottrarre"?

R: Per sottrazione lavora la scultura. Da una massa originaria si ricava una figura togliendo materia. In pittura questo procedimento è in apparenza paradossale, dato che si lavora aggiungendo colore sulla tela. L'idea di una pennellata che costruisce disfacendo, che sottrae con lo stesso gesto con cui mette, ha probabilmente a che vedere con il mio interesse per la relazione originaria delle persone e delle cose con lo spazio in cui si collocano.

blindness to luminous tones or bright hues. Do you think a symbolic interpretation can be made of your use of color, for example associating the ash tones to the theme of frailty?

A: To begin with, the colors in my paintings are the colors of my city. And they are frequently used in the tradition of Lombard art. It is true that many of my works are monochromes entirely based on gray. But gray contains all the colors, and I like the idea of freedom this brings with it. I like the idea of being able to look at my painting and see all the possible colors, as in a black and white photograph. I also believe my use of color depends closely on the fact that what interests me is not to narrate, not to define with virtuoso precision an object or a figure. Using pure color would distract me from the essential. I might be able to see some symbolism in my use of color a posteriori, just as it is easier for me to see it in the paintings of other artists. For example, I happened to realize, seeing a beautiful Munch exhibition, that white is the color best suited to communicating uneasiness. In my work the different cycles of paintings and different periods also correspond to different colors. Lately, always in monochromes, I am using a more definite color. I am getting away from that gray wavering between warm and cold, between one hue and another, with the blues of water, for example. And my recent research on greater openness and abstraction corresponds to the discover of a blue that is not exceptional, but one I had never used before, ultramarine blue, cooler and more airy than the Prussian blue of the nocturnal nudes, the water and some of the shipyards.

Q: This use of color is combined with very rapid, sensual brushwork that seems to follow the contours of things, as if knowledge of the things were conveyed by touch more than sight.

A: Gesture plays a very important role in my work, a role that partially coincides with that of color. The rapid brushstroke, like the absence of defined, contrasting colors, keeps the energy in a painting from being blocked in a precise point, allowing it to move in a circular way. From a purely subjective standpoint the speed is a way of not giving myself time to think about what I am doing, a way of excluding rational calculation and intent from the composition.

Q: Could you explain what you meant when you said that this gesture is "necessarily quick because it has to subtract"?

A: Sculpture is a work of subtraction. From an original block you make the figure by removing material. In painting this procedure might seem paradoxical, given the fact that the work is done by applying paint to the canvas. The idea of a brushstroke that builds by taking apart, that subtracts with the same gesture it uses to add, probably has to do with my interest in the original relationship of persons and things with the space in which they are located.

Nell'ammissione ineludibile della visione

Aldo Nove

Soltanto luce soltanto acqua che esplode nell'infinita
metamorfosi della carne acciaio che da capo ricomincia
a prendere forma nel dettaglio imbevuto di luce di
sedimentazioni del tempo dalle ere glaciali all'angolo
dell'appartamento ripetutamente senza interloquire
in una calma che si mescola al sangue e diventa tempo
all'apparenza involucro permeato pulsante frazione di
secondo di cantiere abbracciato allo sguardo delle strade
riversato al torrente che riemerge senza sosta nell'atto
nell'odore attraverso l'acqua

Attraverso la cancellazione della carne la
metamorfosi delle cellule involucro membrana pulsante
dita che suggellano il movimento delle rifrazioni ocra del
corpo nell'abisso disteso nel suo elemento primordiale
assolutamente prima assolutamente dopo che accade
tutto questo mentre gli spruzzi di nuvole infrangono
la ferrea dittatura delle pulsazioni cardiache nella teca

Con lo sguardo animale dell'azzurro mentre
nuota e si trasforma nell'istante successivo con la
stessa valenza di sguardo animale questa volta verde
assunto a vegetale stagnante riproposizione del mondo
che dice di se stesso l'uguale che è diamante e si

In the inescapable admission of vision

Aldo Nove

Only light only water that explodes in the infinite
metamorphosis of the flesh steel that starts over to take
form in the detail steeped in light in sedimentations
of time from the ice ages to the corner of the apartment
repeatedly without exchanging words in a calm that
mingles with blood and becomes time apparently
wrapping permeated pulsating fraction of a second of a
worksite embracing the gaze of the streets spilled to the
torrent that endlessly resurfaces in the act in the odor
through the water

Through erasure of the flesh the
metamorphosis of cells wrapping membrane pulsating
fingers that seal the movement of ochre refractions
of the body in the abyss outspread in its primordial
element before absolutely after all this happens while
the cloudsprays shatter the iron dictatorship of the
cardiac pulsations in the display case

With the animal gaze of the blue while
swimming and in the next instant transformed with
the same value of animal gaze green this time employed
as vegetable stagnant restitution of the world that speaks
of itself the same that is diamond and transforms

engraved by the exuberant penetration of indigo that assails

Resting supine or crawling with the imperious immobility of foam on the crest spilled everywhere on the streets of the sea at twilight without anything staying the same slowing changing or proportionately impervious to order to measure as if pressing from self's flesh from the very concept of the eyeball supposed in the vault of the heavens nailed to the cross of the blood that drips

Infinite vanishing points press from the shirt of the worksite that recommencing to play itself plunges into the forced equal of color of the tiny cathedral of every gaze that becomes breathtaking release in the end that observes itself taking form in the body that observes nude its own blurred mingling equal

For a tiny opalescent variation of the quantity of ammonia diluted in the reascent to the light wrested from time that strikes it like the skin of a drum stretched from gaze to gaze to the limit of the border between night and prow

Within an infinite array of other reminders of smaller elements of decompression the subject sits rests does not rest at the same time of the others excluded from the thought by the modes assumed by the form of expression

In a viscous fall of eternity and pain and forward shifts of the body that rests on eternity and slips

trasforma inciso dall'esuberante penetrazione dell'indaco
che assale

Appoggiato supino oppure striscia con la
perentoria immobilità della schiuma sulla cresta riversata
dappertutto sulle strade del mare al crepuscolo senza
che nulla rimanga uguale lentamente cambiando
o in proporzione refrattaria all'ordine alla misura come
premendo dalla propria carne dallo stesso concetto
del globo oculare sotteso alla volta del cielo inchiodato
alla croce del sangue che cola

Infiniti punti di fuga premono dalla camicia
del cantiere che ricominciando a recitare se stesso si
inabissa nell'uguale forzato del colore della cattedrale
minuta di ogni sguardo che diventa scatto a perdifiato
nella fine che osserva il proprio prendere forma nel corpo
che osserva nudo il proprio confondersi uguale

Per una minima variazione opalescente della
quantità di ammoniaca disciolta nella risalita alla luce
strappata al tempo che la percuote come una pelle di
tamburo tirata di sguardo in sguardo al limite del
confine tra notte e prua

All'interno di uno schieramento infinito di altri
rimandi a più piccoli elementi di decompressione si siede il
soggetto rimane e non rimane allo stesso tempo degli altri
esclusi dal pensiero dalle modalità assunte dalla forma di
espressione

In una caduta vischiosa di eternità e di dolore
e di spostamenti in avanti del corpo che all'eternità si

while transforming itself into the definition of color of the chest surprised of the bed moved at rest on the bluish variations of the heart

Awaiting the birth of another color

Showily agitated by the presence of the immobility of the pose that sums up the organisms and porosity of the surface before beginning the next moment the manoeuvres for the instant approach the inescapable comedown of the everyday implausibility of the form assumed on the earth's axis the inclination

The inner aspect of planets in frontal collision inside the allegorical movement of the white completely distanced from its spectre to the point of becoming woman or priormost nitrogen and multiplication of the streets at dusk

All the faces are the same in the act of recommencing to structure a position in the space that at the edges drags itself punctual the succession of a new order to dismantle for another whim of the sun

Awaiting the birth of another color

Billions of opportunities moved by the forces of gravity are exploited everywhere the briny smell of time as ever begins its march anew with metal clangor and kidney screech with accompanying disjunction of fibers and of related image transmission equipment all over the place of pensive positioning in an hour

appoggia e scivola mentre si trasforma nella definizione
del colore del costato sorpreso del letto spostato
appoggiato alle variazioni bluastre del cuore

Aspettando la nascita di un altro colore

Vistosamente agitato dalla presenza
dell'immobilità della posa che riassume gli organismi
e le porosità della superficie prima di iniziare l'istante
successivo le manovre per l'attimo si approssimano
all'ineludibile smacco dell'inverosimile quotidiano
della forma assunta sull'asse terrestre l'inclinazione

L'aspetto interiore dei pianeti in collisione
frontale dentro il movimento allegorico del bianco
allontanato completamente dal suo spettro fino a
diventare donna o ancora prima azoto e moltiplicazione
di strade all'imbrunire

Tutte le facce sono uguali nell'atto di
ricominciare a strutturare una collocazione nello spazio
che ai margini si trascina puntuale la successione di un
nuovo ordine da smontare per un altro capriccio del sole

Aspettando la nascita di un altro colore

Sono miliardi di occasioni mosse dalle forze di
gravità ad essere sfruttate in ogni dove il salmastro odore
del tempo riprende da sempre a marciare con clangore
metallico e stridore di reni con apposita disgiunzione
delle fibre e dei relativi apparati di trasmissione d'immagini
dappertutto di pensosa collocazione in un'ora

The diagonal line of a breath of a gaze and after backtracking to the rods to the first organizations of carbon and other positions to determine the subject stamped on the retina that moves by convention in the permanence and retreats

Like falling in an environment in the instant it realizes what it is and in mutation extends expands contracts grazing water penetrating the smile of the woman waiting supine the millimetric siege of things newly diverse and newly equal to the breath to the occidental aspect of violet with ever new awe circular snagged at the edges by the emptiness of the original impact of the animal skull form

Buried in a month in a week in a year inside a place of a precise seasonal connotation all around that commences once again to flake with movement longitudinal to the partial axis

Threefold alternation of solids and voids and soft senile resistances to airy touch of identity of its decay far from special and therefore immobile from the eternal that does not share it but removes it from the dark from which it comes awaiting the birth of another color

Even in the marginal putrefaction of what in this moment is not observed by the light subjected to its regimen of apparent maintenance of animal or citizen origin regressing from bodies to nitrogen in a stutter of identity cards and mountain chains sudden and abnormal like a gaze that begins to overflow

La linea diagonale di un respiro di uno sguardo
e dopo indietro fino alle aste alle prime organizzazioni
di carbonio e altre posizioni a determinare il soggetto
impresso nella retina che si sposta per convenzione nella
permanenza e si sottrae

Come cadendo in un ambiente nell'istante
che si riconosce come tale e nella mutazione si allunga si
allarga si contrae sfiorando l'acqua penetrando il sorriso
della donna che attende sdraiata l'assedio millimetrico
delle cose nuovamente diverso e nuovamente uguale
al respiro all'aspetto occidentale del viola con sempre
nuovo stupore circolare smagliato ai bordi dalla vacuità
dell'impatto originale della forma di cranio d'animale

Interrato in un mese in una settimana in un
anno all'interno di un luogo di una precisa connotazione
stagionale tutta intorno che incomincia un'altra volta
a sfaldarsi con moto longitudinale all'asse parziale

Triplice in alternanza di pieni e vuoti e
morbide resistenze senili al tatto aereo dell'identità
del suo sfacelo affatto speciale e per questo immobile
dall'eterno che non lo condivide ma lo sottrae al buio
da cui proviene aspettando la nascita di un altro colore

Anche nella putrefazione marginale di quanto
non è in questo momento osservato dalla luce sottoposto al
suo regime di mantenimento apparente di origine animale
o cittadino retrocedendo dai corpi all'azoto in un balbettare
di carte d'identità e catene montuose improvvisate ed
anormali come uno sguardo che inizia a tracimare

Nella sostanza del cadavere di uomo o macchina o temporale tutto quello che sta succedendo adesso per successione di sfumature di azzurro per tipo di modulazione della vibrazione dell'acqua all'interno del corpo cavernoso del mare che circonda la città questa notte o qualunque altro colore

Nell'ammissione ineludibile della visione come atto d'accusa al suo apparentemente statico sovrapporsi a questa caterva improvvisata di deiezioni allo sgorgare infinito di frame in disarticolazione feticistica di qualunque residuo concetto di realtà

In the substance of the corpse of man or machine or storm all that is happening now by succession of shades of blue by type of modulation of the vibration of water inside the cavernous body of the sea that surrounds the city this night or any other color

In the inescapable admission of vision as act of accusation to its apparently static overlapping of this sudden pile of detritus at the infinite gushing of frames in fetishistic disjunction of any residual concept of reality

Ritratti / Portraits

Giovanni Testori

Quando si farà una "veridica" storia della pittura di questi anni, una storia non già per "flash" estemporanei e preventivati, bensì per lucida e appassionata conoscenza dei fatti, si vedrà come proprio fra Lombardia e Canton Ticino, sia venuta crescendo una sorta di "congrega", o "confraternita" di marca, anzi d'origine, per dir così, svizzera; forse, potremmo addirittura scrivere "bondasca"; visto che Varlin, proprio a Bondo, stese il suo immenso, stracciato e tragico "poema" e che Giacometti, di Stampa, non fu solo originario; e visto che ambedue i grandi, opposti e, insieme, fraterni artisti, in quella valle, decisero di riposare per sempre.
Il lettore avrà da sé capito che, tale "congrega", o "confraternita", ha assunto come suoi fondatori, o laici santi, proprio quei due Maestri; cavando, da una mistione, ora previligiante l'uno, ora l'altro, un mondo e un linguaggio che è ben lungi dall'essere inteso nella sua forza e nella sua, quasi, forzata affezione ai due supremi, irraggiungibili capostipiti.
Ma non si parla ancor oggi, e dopo secoli, per un'area, ove pure ebbero a operare pittori d'alta, tersa e immacolata poesia, di "belliniani"? Davvero non si vede cosa ci sia di diminuente se oggi scrivessimo, poniamo, di "Varlin-giacomettiani". Pare a noi che una designazione simile risulti più significante e, in ogni caso, meno astratta d'altre che usano puntare su ipotetiche contrazioni ideologiastiche.
Alessandro Papetti (classe 1958) non fa mistero d'aver appartenuto a quella "confraternita".
Oltre a non farne mistero, non se ne vergogna punto. Egli, insomma, sa di chi è figlio. Primo, verace passo per andar oltre. Forse è proprio la forza, e l'onestà, con cui ha riconosciuto, e nominato, i suoi padri, e padrini, che gli han permesso, ad un certo punto della sua storia, d'uscire dal "convento", senza bisogno di gettar la veste alle ortiche.
La presente rassegna ci mostra, infatti, il giovane pittore milanese proprio nell'atto in cui apre la porta della "casa comune", saluta compagni e confratelli e si mette su una derivata, ma personalissima strada.
Lentamente, a furia di mescolare la gran lezione dei due maestri svizzeri a ciò che i suoi occhi vedevano, il suo cuore partecipava e suoi nervi, ferrigni ma sensibilissimi, registravano, s'è trovato, senza avvedersi, a serrare la realtà in una morsa diversa; diversa e incondita. Credo che, vivendo al "vangelo" di artisti per i quali la "questione" risiedeva nel come e nel perché la realtà debba vivere dentro un

Giovanni Testori

When a "veracious" history of the painting of these years is written, a history not composed of extemporaneous and pre-budgeted "sound bites", but with a lucid and fervent respect for the facts, we will see that the Region of Lombardy and the Canton Ticino were home to the growth of a sort of artistic "band" or "confraternity" of Swiss origin. Or perhaps we should call it "Bondesque", given that Varlin drafted his immense, ragged, and tragic "poem" in Bondo and that Giacometti saw his birthplace, Stampa, as more than a simple place of origin. And both great men, contrasting yet fraternal artists, chose the same Swiss valley as their eternal resting place.
The reader will have gathered that this "band" or "confraternity" has enshrined those two masters as its founders, its lay saints, obtaining from their intermingled essences – favoring first one, then the other – a world and a language whose power and almost forced attachment to these two supreme, unattainable progenitors are far from being understood.
But still today, after centuries, do we not speak about an area, where painters of high, lucid and immaculate poetry once worked, as "Bellinian"? I truly do not see how it could be viewed as diminishing if we were now to begin writing about, let's say, the "Varlin-Giacomettian".
It seems to us that such a designation is more significant, and in any case less abstract than others based on hypothetical ideological contractions. Alessandro Papetti (1958) makes no mystery of the fact that he has belonged to that "confraternity". Not only does he not hide it, he would even seem to be proud of it. He knows who his parents are. And that is the first truthful step one must take in order to move onward. Perhaps it is the simple strength and honesty of his acknowledgement and naming of his fathers and godfathers that allowed him at a certain point in his life to leave the "convent" without having to don new clothes.
The current exhibition shows us the young Milanese painter right at the moment when he opens the doors to the "shared household", says good-bye to his companions and fraternity brothers and starts out on his own derivative but very personal road. Slowly, by dint of mixing the great lessons of his Swiss masters with what he saw with his own eyes, felt in his own heart, and what his steely but highly sensitive nerves registered, he found himself, without realizing it, seizing

determinato troppo perquisibile e, insieme, troppo imperquisibile spazio e per un così labile e assassino tempo, sia stato naturale, o fatale, che Papetti, al colmo di tale "questione" si trovasse tra mano lo straordinario "invenimento" di questi suoi "Ritratti dal su in giù"; di queste sue figure che, tra empietà e carità, sembran viste dall'alto come se il terribile "buco d'ozono" avesse già iniziato ad agire. Qualcosa schiaccia nella vertigine d'una prospettiva mai vista prima i crani di questi personaggi.

Qualcosa di tanto terribile da costringere la mano di Papetti ad abbandonare ogni pittoricismo e a farsi, di tela in tela, più lucida, esatta ed estrema; più, ecco, "oggettiva". È come se la poetica della "confraternita", da lui appena lasciata, inventasse una sua attualissima e atroce "nuova oggettività".

Lì per lì le due strade sembrerebbero inconciliabili. Ma, nell'arte, ogni ipotesi risulta priva di senso.

Nell'arte, ha senso ciò che veramente avviene; ciò che veramente accade. E questi tesissimi "Ritratti", con cui Papetti entra, di diritto, tra le figure che esistono per davvero e per davvero contano, si pongon lì, inattesi, crudeli epperò magistrali. E da quel loro esser visti da sopra, dall'osceno "buco" che stiamo via via aprendo nella nostra avvelenata atmosfera, ricevono e offrono, assieme al sibilo grigio e luttuoso dell'allarme, una sorta di stremata, ultimativa pietà.

(Da *Come schiacciati dalla paura quei volti ritratti dall'alto*, in "Corriere della Sera", 12 marzo 1989)

reality in a different grip, a different and rough grip. It seems to me that, by living by the "gospel" of artists for whom the "question" lay in how and why reality had to live within a delimited, excessively scrutable-yet-inscrutable space, and for such a murderously brief time, it was natural, or fatal, that Papetti, in coming to grips with that "question", found in his hands these extraordinary Portraits *Seen from Above*, these figures, which, caught between compassion and impiety, seem to be looked upon from on high as if the terrible "ozone hole" had already begun to exert its effect. In this vertiginous, brand-new perspective, something is crushing the crania of these subjects.
Something that is so terrible it forces Papetti's hand to abandon every shred of the pictorial and to become, with every passing canvas, increasingly lucid, exact and extreme, more "objective". It is as if the poetics of the "confraternity" whence he just emerged, had invented a totally renewed and atrocious "new objectivity" of its own. Suddenly the two roads would seem irreconcilable. But in art, every hypothesis turns out to be nonsense.
In art what makes sense is what really happens, what actually occurs. And these extremely tense *Portraits* – with which Papetti rightfully becomes one of the figures who truly exist, and who truly count – stand there, unexpected, cruel and yet masterful. And seen as they are from above, from the obscene "hole" that we are slowly opening in our poisoned atmosphere, they receive and offer, together with the grey and mournful whistle of alarm, a sort of exhausted, ultimate piety.
(From "The Faces Portrayed from Above as if Crushed by Fear", in *Corriere della Sera*, March, 12, 1989)

Alessandro Riva

Alessandro Papetti lavora sulla figura umana da anni. Un tempo, le sue figure erano facilmente riconoscibili per la prospettiva straniante – sempre e solo dall'alto – con cui erano riprese: tanto che Giovanni Testori lesse in quel singolare punto di vista, sospeso "tra empietà e carità", il segno di una colpa segreta, come se qualcosa "di terribile" schiacciasse, "nella vertigine di una prospettiva mai vista, i crani di quei personaggi". Oggi Papetti si è liberato dalla gabbia un po' claustrofobica di quella prospettiva forzata, e i suoi ritratti – se di ritratti si tratta – sembrano più che altro incerte figure sospese in un tempo esistenziale d'incertezza e d'inquietudine: quasi si trovassero a vivere, come ha scritto l'artista, "quella sospensione della realtà che nasce dall'incapacità di misurarsi con una grossa scelta esistenziale".
(Da *Sui generis*, Edizioni Medusa 2000-01)

Alessandro Papetti has worked on the human figure for years. Once his figures were easily recognised for their bizarre perspective – always and exclusively viewed from above. Giovanni Testori went so far as to read into that singular point of view, suspended "between impiety and compassion", the signs of a secret guilt, as if something "terrible" in the "vertiginous, brand-new perspective [...] is crushing the crania of these subjects". Papetti has now escaped from the somewhat claustrophobic cage of that forced perspective, and his portraits – if indeed that is what they are – seem more than anything else to be uncertain figures suspended in an existential time of uncertainty and disquiet, almost as if they found themselves experiencing, as writes the artist, "that suspension of reality that derives from the incapacity to measure oneself against a grand existential choice".
(From *Sui generis*, Edizioni Medusa 2000-01)

Omaggio a Giacometti, 1985
Olio su tela / Oil on canvas
120 x 100 cm
Collezione privata / Private collection

Ritratto di Francis Bacon, 1985
Olio su tela / Oil on canvas
80 x 60 cm
Collezione privata / Private collection

Tom Waits, 1987
Olio su tela / Oil on canvas
250 x 200 cm
Collezione privata / Private collection

Ritratto di Igor Stravinsky, 1988
Olio su cartone / Oil on cardboard
70 x 50 cm
Collezione privata / Private collection

Ritratto di Luigi, 1988
Olio su tela / Oil on canvas
190 x 95 cm
Collezione privata
/ Private collection

Presenza, 1988
Olio su tela / Oil on canvas
155 x 72 cm
Collezione privata
/ Private collection

Bambino nello studio, 1990
Olio su tela
120 x 100 cm
Collezione privata / Private collection

Ritratto di Elisabetta, 1990
Olio su tela / Oil on canvas
180 x 100 cm
Collezione privata / Private collection

Gara di ballo - Omaggio a Diane Arbus, 1991
Olio su tela / Oil on canvas
240 x 200 cm
Collezione privata / Private collection

Follia, 1992
Olio su tela / Oil on canvas
120 x 70 cm
Collezione privata / Private collection

Ritratto di Bodo, 1993
Olio su tela / Oil on canvas
208 x 120 cm
Collezione privata
/ Private collection

Bimbo nello studio, 1993
Olio su tela / Oil on canvas
200 x 77 cm
Collezione privata / Private collection

Ritratto di Marco, 1993
Olio su tela / Oil on canvas
208 x 120 cm
Collezione privata / Private collection

La poltrona nell'angolo, 1994
Olio su tela / Oil on canvas
180 x 100 cm
Collezione privata / Private collection

Omaggio a Diane Arbus, 1994
Olio su tela / Oil on canvas
200 x 150 cm
Collezione privata / Private collection

Ritratto, 1995
Olio su tela / Oil on canvas
200 x 150 cm
Collezione privata / Private collection

Ritratto di Adolfo, 1994
Olio su tela / Oil on canvas
208 x 120 cm
Collezione privata
/ Private collection

Omaggio a Bruce Davidson, 1996
Olio su tela / Oil on canvas
205 x 140 cm
Collezione privata / Private collection

Sogno, 1996
Olio su tela / Oil on canvas
160 x 100 cm
Collezione privata / Private collection

Milly with babe - Omaggio a Nan Goldin, 1997
Olio su tela / Oil on canvas
145 x 140 cm
Collezione privata / Private collection

Vento, 1998
Olio su tela / Oil on canvas
245 x 135 cm
Collezione privata
/ Private collection

La festa, 2001
Olio su tela / Oil on canvas
140 x 100 cm
Collezione privata / Private collection

Ritratto nello studio, 2003
Olio su tela / Oil on canvas
208 x 120 cm
Collezione privata
/ Private collection

Nudi / Nudes

Marco Di Capua

Ma poi chi sono queste donne sopra letti immensamente disfatti e poltrone di cuoio – sostanzialmente antiplastico. L'occhio di Papetti adora il vuoto, allunga e tende simili a elastici invisibili le prospettive e le infilate tra le porte, pretendendo che se qualcosa debba pur chiudere il fondo ebbene, meglio di una parete, che sia un panneggio – queste Ofelie un po' smarrite ma vive, questi Tritoni e Nereidi bockliniani senza più squame né pinne, emersi dal buio e dall'acqua simili a Lazzari ancora trasognanti, increduli riportati alla luce? Esseri renitenti alla leva generalizzata, alla mobilitazione della Pubblicità & Progresso, fuggitivi puri non ancora presi per le braccia e alla gola da un erotismo continuamente invocato, nominato, parlato, analizzato da brutti e da brutte, non praticato, ma incitato a delinquere... L'uomo di Papetti è quello inerme, sopravvivente, al quale è stato ripetuto fino alla nausea che nulla è sacro, che i cieli sono vuoti, le idee defunte, e benché ciò appaia più come pettegolezzo di vermicaio, vano complotto di nani avvinti l'uno all'altro, a mani giunte, contro ciò di cui essi non indovinano nemmeno fin dove possa arrivare la cima, può comunque condizionare la nostra posizione nel mondo, stretta tra aspirazioni decretate inattuali, impossibile, e – con un'espressione che potrebbe definire abbastanza bene certe tensioni interne ai quadri di Alessandro – il risucchio del nulla.
(Da *L'opera al blu,* Edizioni d'Arte Severgnini, Bologna, 2000)

And so who are these women on immensely unmade beds and leather armchairs – substantially anti-plastic. Papetti's eye loves the void. It stretches and tightens perspectives like invisible rubber bands and slides them in between doors, pretending that something is going to have to close off the background, and that rather than a wall, it should preferably be a drapery – these Ophelias a bit lost but alive, these Böcklinian tritons and nereids stripped of scales and fins, emerging from the darkness of the water like half-dreaming Lazaruses, incredulously pulled back to the light? Creatures evading the general call-up, the mobilisation of Advertising & Progress, pure fugitives still avoiding the grasp of an endlessly invoked eroticism, an eroticism that is named, spoken, and analysed by ugly men and women, not practiced, but inciting to error... Papetti's man is helpless, surviving, he has heard ad nauseam that nothing is sacred, that the sky is empty, ideas are defunct, and although that seems more like the gossip from some worm-infested place, the vain plot of dwarves linked one to the other with clasped hands against something whose extent they have no way of guessing, it can still influence his position in the world, squeezed between aspirations declared outmoded and impossible, and – with an expression that could define fairly well certain tensions in Alessandro's paintings – the undertow of nothingness.
(From *The work in blue*, Edizioni d'Arte Severgnini, Bologna 2000)

Grande nudo, 1991
Olio su tela / Oil on canvas
180 x 150 cm
Collezione privata / Private collection

Flavio Arensi

Non trattengono questi scorci una verità maggiore di quella quotidiana, monotona e banale delle umane traversie? L'artista scruta tra le cose smascherandole, aprendo le porte della percezione per scovare il senso che oltrepassa l'immagine. I corpi indugiano imprigionati da una pioggia corrusca di colori, di materia che non cerca mai via di scampo, mentre condivide una sorte implacabile, cascata addosso a uomini o situazioni, stanze vuote o grandi dimore, fino ai desolati ambienti industriali. Il pretesto del dipingere trasforma qualsiasi episodio in dialogo serrato, non vi è un resoconto soltanto, bensì innumerevoli voci che redigono le loro trame senza cura degli astanti; il vociare allestisce una monumentalità stupefatta in cui i protagonisti s'ergono come il capocomico sulla ribalta, e lì sopra egli inscena la sua interpretazione, talvolta un soliloquio disattento alle esigenze pubbliche, altre volte un commento delicato ai fatti della cronaca civile.

(Alessandro Papetti "Blue" - Silvana Editoriale, 2004)

Do these views not contain a greater verity than that dayly, monotonous and banal truth of human vicissitudes? The artist observes things, unmasking them, opening the gates of perception to tease out the sense which surpasses the image. The bodies linger, imprisoned by a coruscating shower of colors, of material which never seeks to flee, while it shares an implacable fate which has overtaken men and situations, empty rooms and mighty mansions, and even the desolate industrial wastelands.

The pretext of painting transforms every episode into a swift dialog, there is not merely a narrative but multitudinous voices that weave their pilots unheeding of bystanders; the ring of their voices sets up a bemused monumentality in which the protagonists rise like the leading comedian in the limelight, who stages up there his interpretation, at times a soliloquy careless of his public's needs, at others a delicate comment on the events of daily life.

(Alessandro Papetti "Blue" - Silvana Editoriale, 2004)

Nudo, 1992
Olio su tela / Oil on canvas
180 x 150 cm
Collezione privata / Private collection

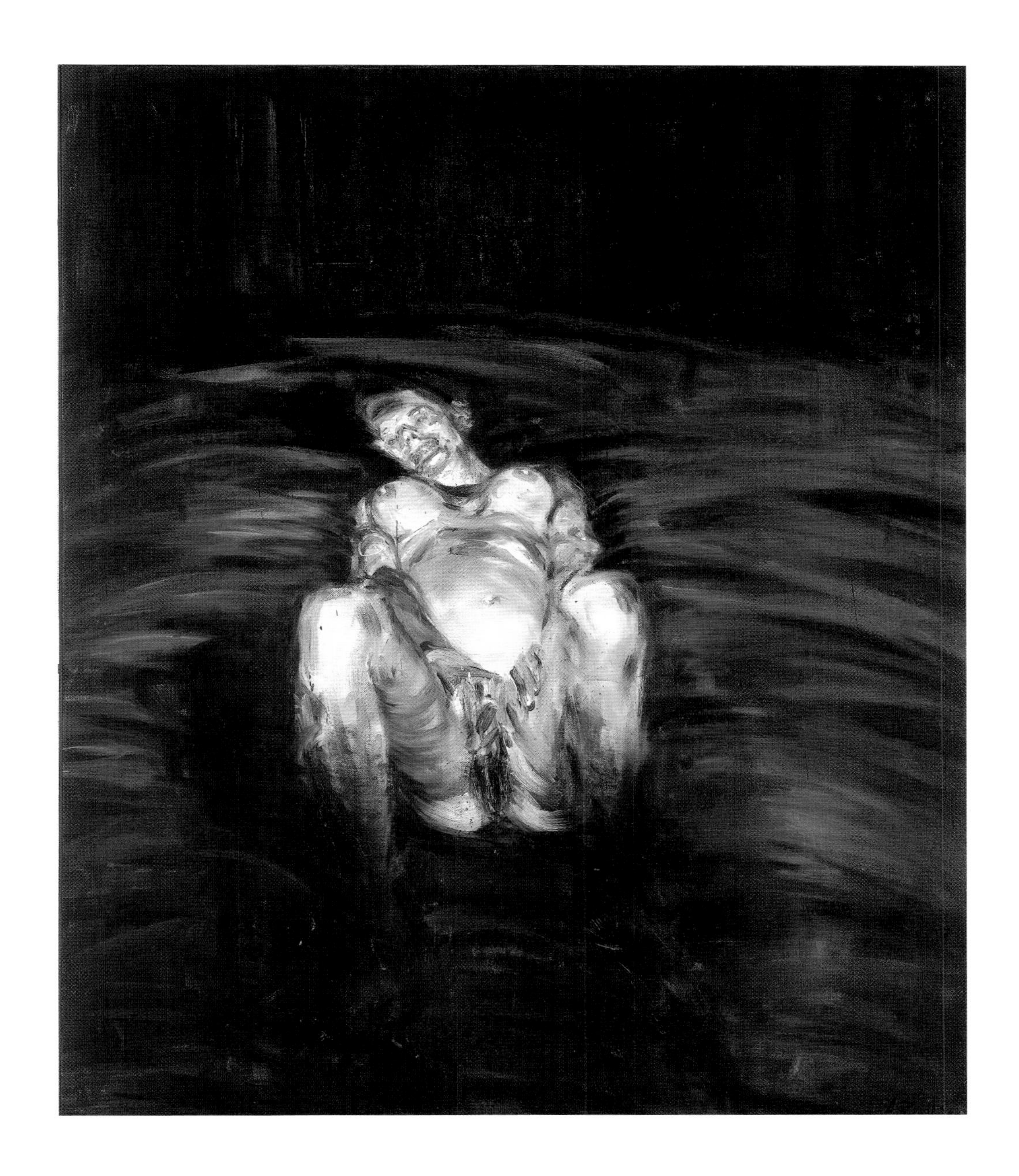

Nudo, 1994
Olio su tela / Oil on canvas
150 x 110 cm
Collezione privata / Private collection

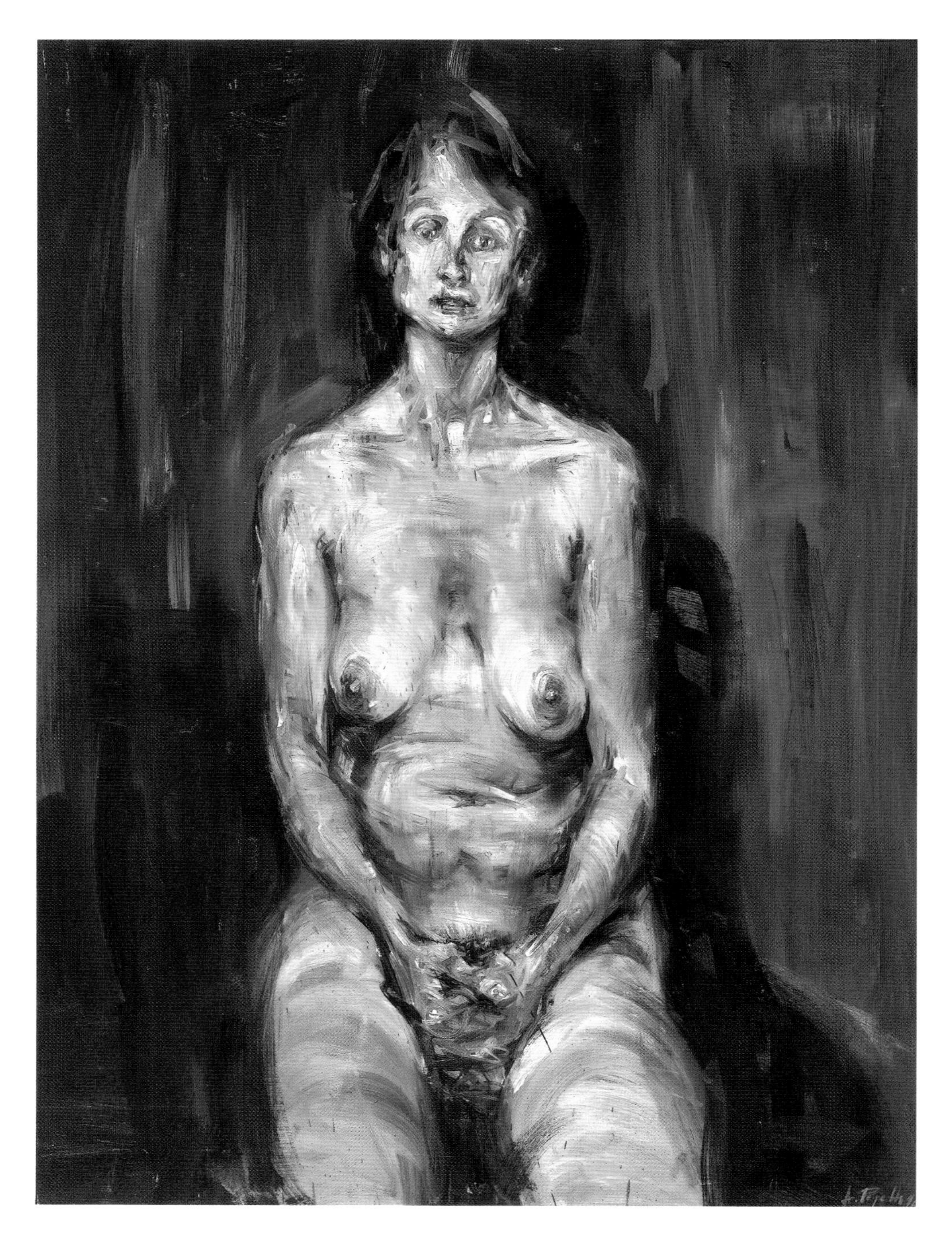

Nudo su drappo rosso, 1994
Olio su tela / Oil on canvas
200 x 190 cm
Collezione privata / Private collection

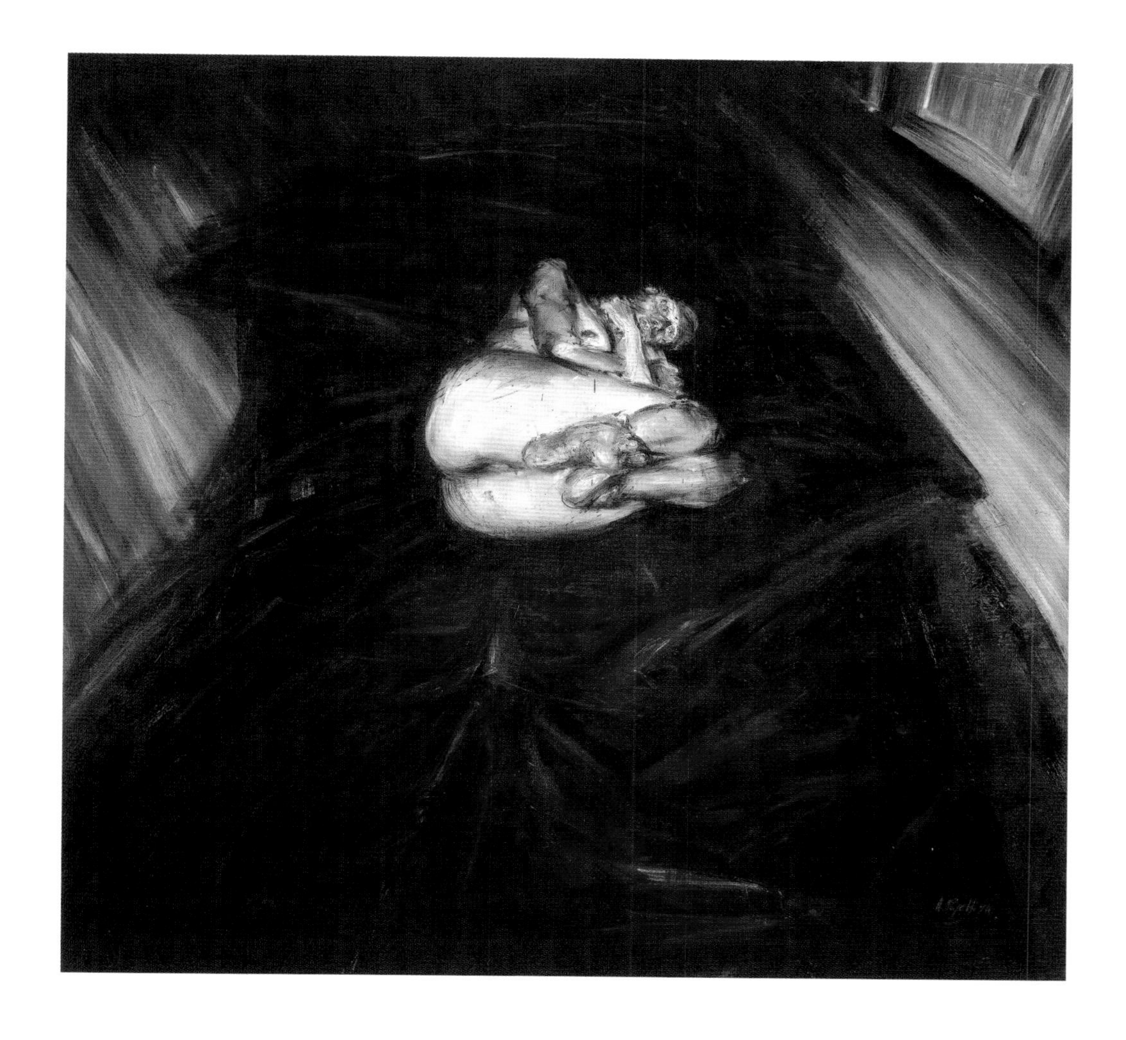

Ritratto, 1995
Olio su tela / Oil on canvas
160 x 100 cm
Collezione privata / Private collection

Nudo, 1995
Olio su tela / Oil on canvas
200 x 120 cm
Collezione privata / Private collection

Omaggio a Bruce Davidson, 1997
Olio su tela / Oil on canvas
145 x 140 cm
Collezione privata / Private collection

Omaggio a Bruce Davidson, 1997
Olio su tela / Oil on canvas
180 x 140 cm
Collezione privata / Private collection

Ritratto sotto la doccia, 2001
Olio su tela / Oil on canvas
80 x 60 cm
Collezione privata / Private collection

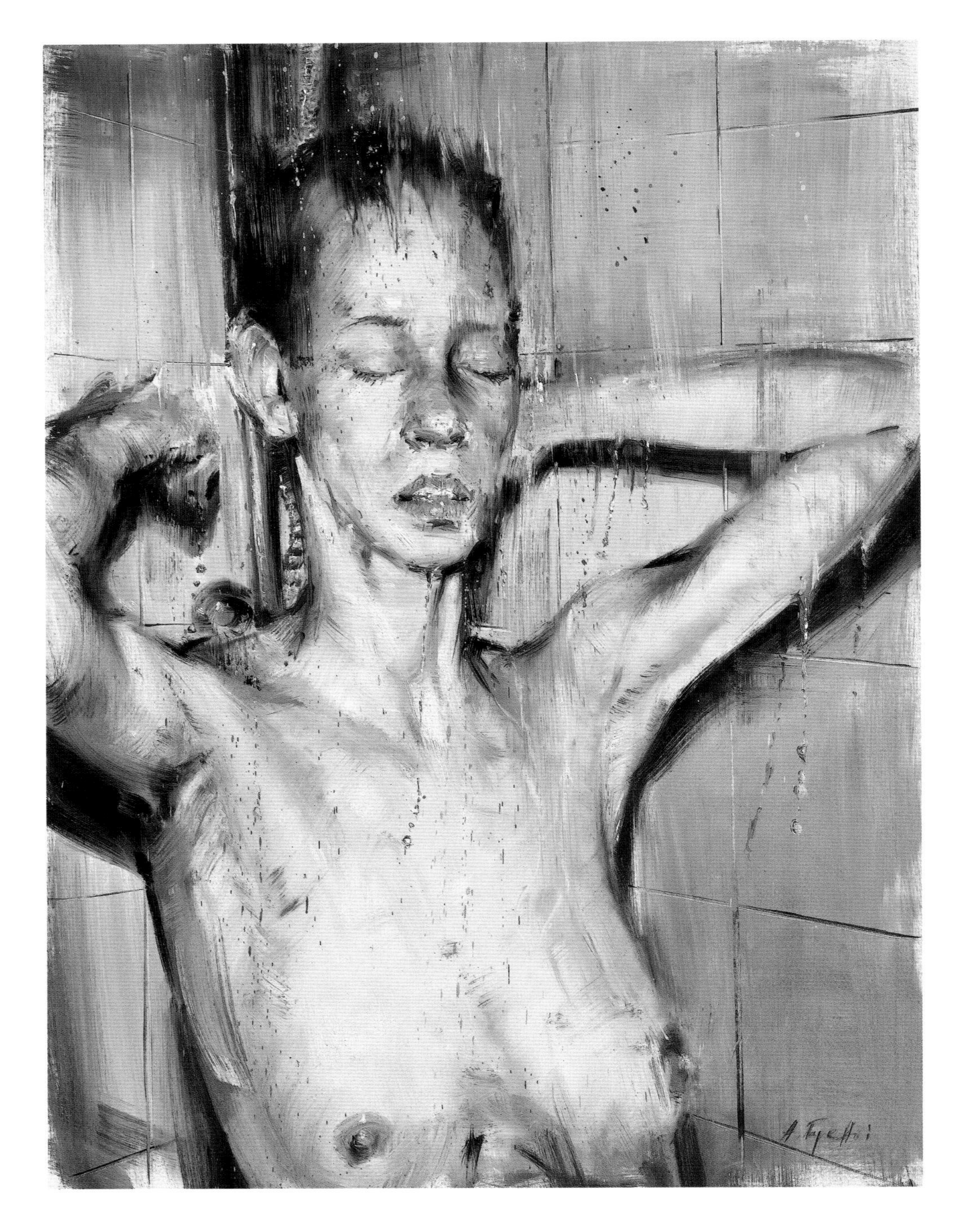

Donna sotto la doccia, 2000
Olio su tela / Oil on canvas
200 x 145 cm
Collezione privata / Private collection

Nudo, 2000
Olio su tela / Oil on canvas
180 x 150 cm
Collezione privata / Private collection

Nudo, 2000
Olio su tela / Oil on canvas
180 x 150 cm
Collezione privata / Private collection

Laurence sul divano rosso, 2001
Olio su tela / Oil on canvas
190 x 115 cm
Collezione privata / Private collection

Ritratto nell'atelier, 2004
Olio su tela / Oil on canvas
176 x 84 cm
Collezione privata / Private collection

Nudo - Notturno, 2002
Olio su tela / Oil on canvas
156 x 100 cm
Collezione privata / Private collection

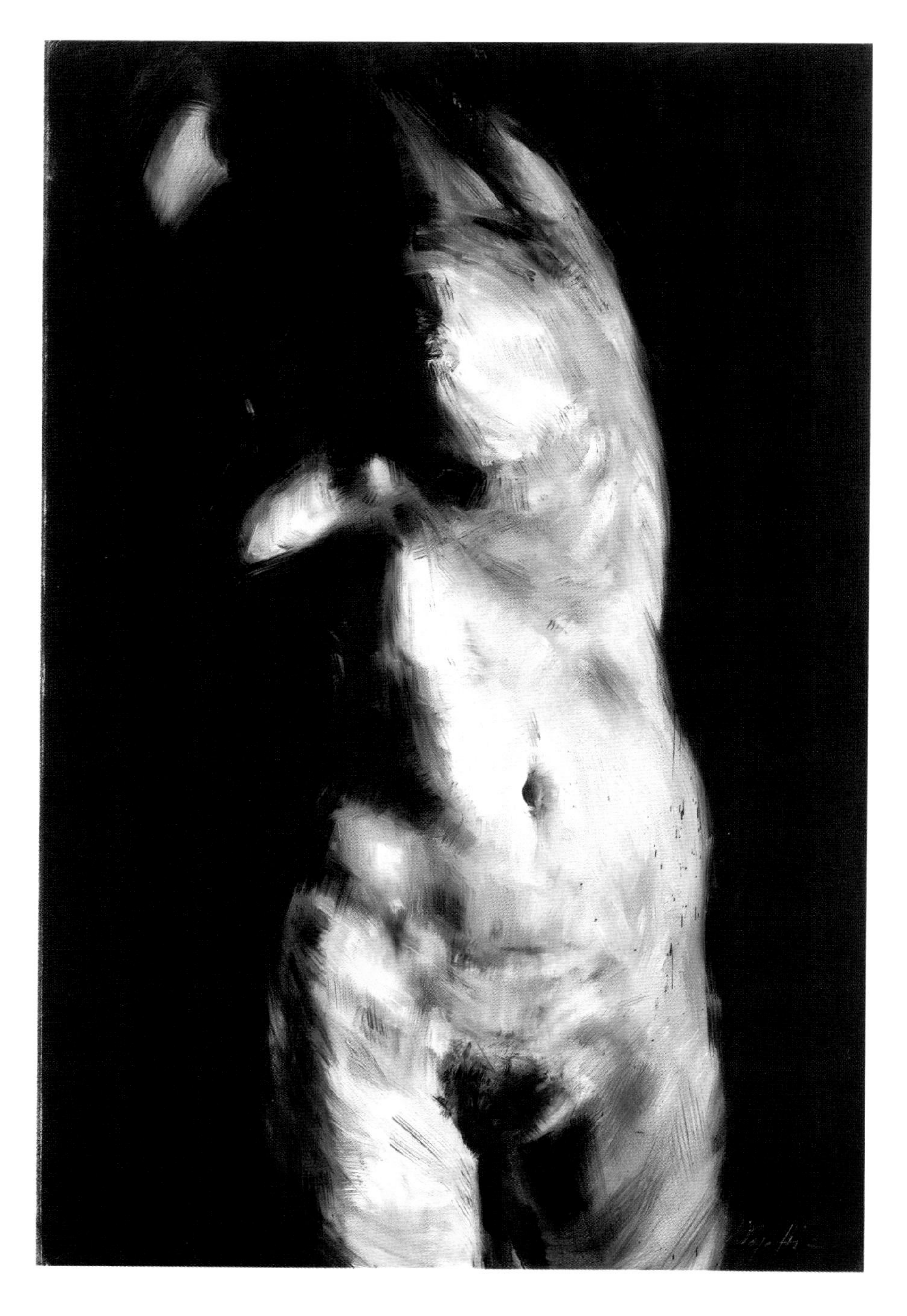

Notturno, 2001
Olio su tela / Oil on canvas
156 x 100 cm
Collezione privata / Private collection

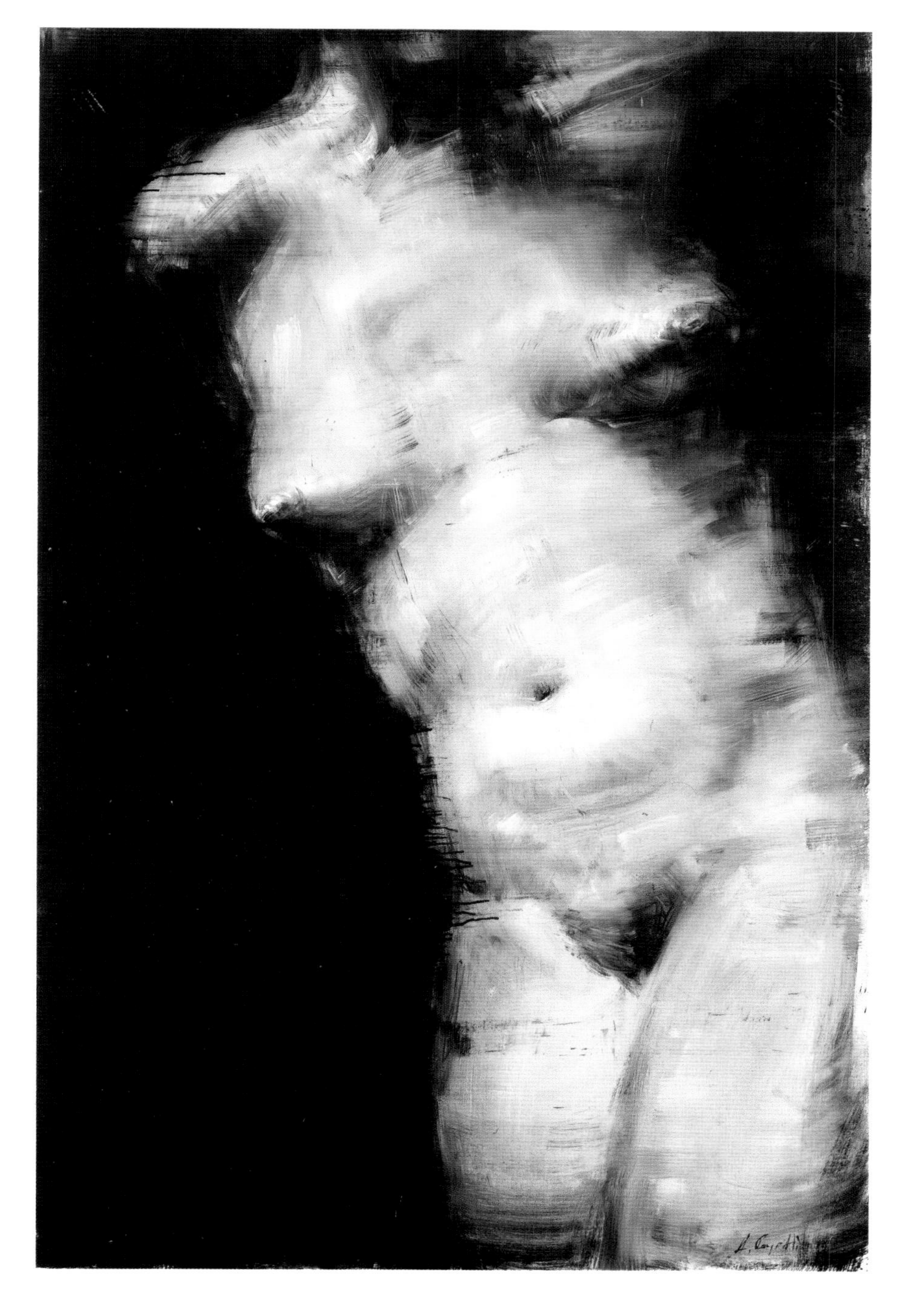

Nudo - Notturno, 2003
Olio su tela / Oil on canvas
205 x 130 cm
Collezione privata / Private collection

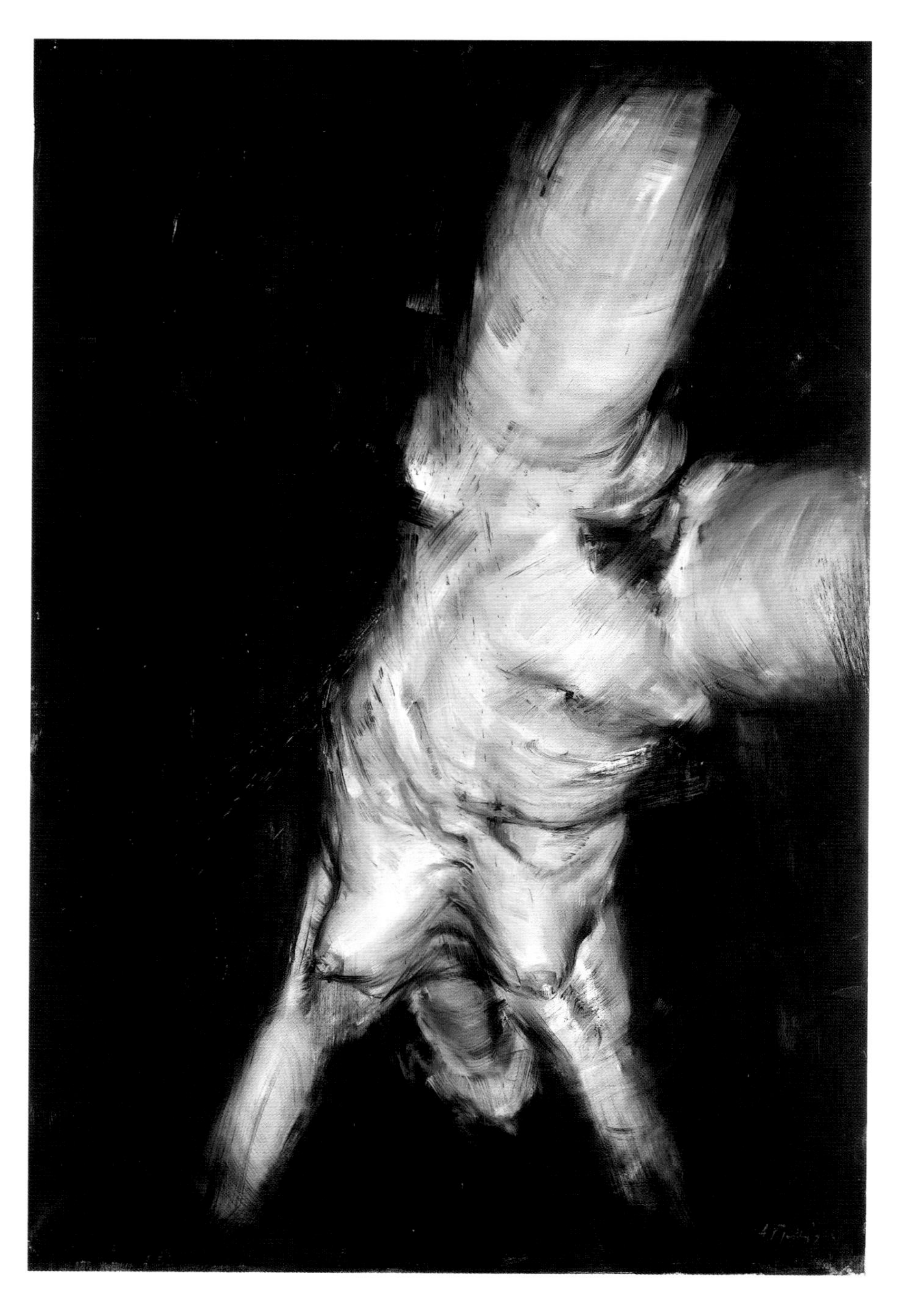

Notturno, 2003
Olio su tela / Oil on canvas
205 x 205 cm

Notturno - Nudo rovesciato, 2003
Olio su tela / Oil on canvas
200 x 135 cm
Collezione privata / Private collection

Notturno, 2004
Olio su tela / Oil on canvas
205 x 145 cm
Collezione privata / Private collection

Interni / Interiors

Marco Vallora

Un vortice venoso che avviluppa l'aggrovigliata grotta amniotica delle sue archeologie industriali: ma tutto è industria e archeologia, per Papetti, e corre velocissimo e immobile, nel suo rannuvolato cielo di vino e fanghiglia. Anche quei nudi subacquei sorpresi tumefatti in posizione fetale a scontare la loro solitudine violenta di modelli gettati sulla terra o quella trionfale e tristissima poltrona di pelle usurata, sorpresa sola a recitare il suo mefistofelico monologo.
(Da *Lettera, alla ricerca di uno sfondo appropriato*, Galleria Forni, Bologna, 1996)

A veiny vortex engulfing the entangled amniotic grotto of his industrial archaeologies. But everything is industrial archaeology for Papetti. It all runs motionless at top speed, in his cloudy sky of wine and soot. And those underwater nudes captured swollen in the foetal position serving out their violent solitude as models thrown to the ground, or that triumphant and forlorn worn out old leather armchair, caught alone while reciting its Mephistophelean monologue.
(From *Letter, in search of an appropriate background*, Forni Gallery, Bologna, 1996)

Mario Pancera

Sugli impianti fermi negli stabilimenti in disuso, templi abbandonati dell'attività e del movimento, sembra addirittura stendersi la caligine, quella caligine che però Papetti non dipinge; la si intuisce, è nell'aria. È un'atmosfera faustiana. Le macchine, di norma disumanizzanti, ora che manca l'uomo che le faceva vivere, l'uomo che era nello stesso tempo amico, vittima e padrone, assumono un aspetto angosciante, sono inerti ma anche minacciose testimoni del passato. È in questo istante che interviene il lampo della ragione. La solitudine dell'artista è il vuoto con cui si valorizza il pieno.
(Da *Interni di Fabbriche 1993-96*, cat. mostra, Edizioni Galleria Bellinzona, 1996)

Papetti's figures, whether portraits or nudes, quartered animals or abandoned machinery, are there, immobile, as if frozen in a moment of time without past or future. The persons stand in a deformed vertical perspective, or more often are sitting in an old leather armchair that records the passing of the years from picture to picture. There is no furniture or landscape in the surroundings. Humanity through the expression of the portrayed; the world out of an increasingly beaten up old brown armchair.
(From *Factory Interiors 1993-96*, exhibition cat., Edizioni Galleria Bellinzona, 1996)

Interno, 1991
Olio su tela / Oil on canvas
80 x 80 cm
Collezione privata / Private collection

Reperti, 1993
Acrilico su carta intelata
140 x 100 cm
Collezione privata / Private collection

Interno a Ettersburg, 1993
Olio su tela / Oil on canvas
90 x 80 cm
Collezione privata / Private collection

Fabbrica, 1993
Olio su tela / Oil on canvas
70 x 70 cm
Collezione privata / Private collection

Beretta, 1995
Acrilico su cartone intelato / Acrylic on cardboard on canvas
100 x 140 cm
Collezione privata / Private collection

Atelier, 1993
Olio su tela / Oil on canvas
210 x 125 cm
Collezione privata
/ Private collection

Interno, 1994
Olio su tela / Oil on canvas
200 x 150 cm
Collezione privata
/ Private collection

Interno, 1994
Tempera acrilica su cartone intelato
/ Acrylic paint on cardboard on canvas
140 x 100 cm
Collezione privata / Private collection

Studio di notte, 1995
Tempera su carta / Paint on paper
140 x 100 cm
Collezione privata / Private collection

Fabbrica, 1996
Olio su tela / Oil on canvas
200 x 165 cm
Collezione privata / Private collection

Interno di palazzo, 1996
Olio su tela / Oil on canvas
155 x 200 cm
Collezione privata / Private collection

Atelier, 1996
Olio su carta intelata / Oil on paper on canvas
140 x 100 cm
Collezione privata / Private collection

Macchina - Scultura, 1996
Olio su tela / Oil on canvas
200 x 135 cm
Collezione privata / Private collection

Atelier, 1997
Olio su tela / Oil on canvas
200 x 208 cm
Collezione privata / Private collection

Fabbrica, 1998
Olio su tela / Oil on canvas
200 x 200 cm
Collezione privata / Private collection

Finestra, 1997
Olio su tela / Oil on canvas
145 x 115 cm
Collezione privata / Private collection

San Zaccaria, 1998
Olio su tela / Oil on canvas
200 x 200 cm
Collezione privata / Private collection

Interno, 2000
Olio su tela / Oil on canvas
133 x 69 cm
Collezione privata
/ Private collection

Letti, 1998
Olio su tela / Oil on canvas
100 x 95 cm
Collezione privata

Pagine seguenti/Next pages
Interno, 2000
Olio su tela / Oil on canvas
140 x 200 cm
Collezione privata / Private collection

Officine Renault - Paris, 2005
Olio su tela / Oil on canvas
155 x 205 cm
Collezione privata / Private collection

Pagine seguenti/next pages
Spazio vuoto, 2002
Olio su tela / Oil on canvas
142 x 205 cm
Collezione privata / Private collection

Chiesa di San Luca, 2002
Olio su tela / Oil on canvas
205 x 130 cm
Collezione privata / Private collection

Reperti / Finds

Rossana Bossaglia

Si identifica subito, al primo incontro con la pittura di Papetti, il clima espressivo del quale egli è partecipe ed erede. Già molto bene di recente Stefano Fugazza aveva indicato una serie di coordinate, o meglio di percorsi, cui ricollegare l'artista: tanto più legittimamente citati quanto più il discorso di Papetti è saturo di cultura e di emozioni intellettuali, e nel contempo così forte e personale da sfidare i confronti. Dirò di più: una delle reazioni maggiormente intense che sopravviene nel contatto con questa pittura, è lo scatenarsi nella nostra fantasia di sollecitazioni mnemoniche, non nel senso che l'artista si eserciti in citazioni, bensì per la densità dei rimandi psicologici, atmosferici, e, via via, di tagli compositivi, di tavolozza. Ma i rimandi slittano da un ambito all'altro, non si contengono all'interno di una scuola: se si pensa a Bacon o a Sutherland, Papetti sembra a suo agio dentro certa specifica caratterizzazione anglosassone; per altri versi, l'affinità con l'espressionismo di stretta accezione ci porta verso i tedeschi; per non dire del corretto inserimento della sua visione delle cose nel flusso del nostro grande realismo esistenziale.
La conclusione è che Papetti si presenta davvero, con libertà e autonomia, all'interno di un grande clima internazionale. E poiché ho citato la tavolozza, anche dentro una grande tradizione: quella della scelta di tonalità quasi monocrome, con predilezione per i grigi appena scaldati di rosa e violetti – talora il grigio è così morbido da passare nel marrone.
Questa pittura "grigia", che ha una sua lunga storia (e anche qui Fugazza ha detto cose perfette, citando Boldini per arrivare a Tintoretto: aggiungerei il Greco, che si avverte nelle anamorfosi di Papetti, come lo si avvertiva in Boldini medesimo); questa pittura, dunque, in Papetti diventa più che mai una sorta di chiave di lettura personale della realtà: come se l'artista, nell'atto in cui si accinge a registrare quello che vede intorno a sé – preferibilmente nel chiuso dello studio: non è pittura da "plein air" –, e socchiude appena gli occhi per definire contorni e limiti della composizione, ne filtrasse ogni sostanza come parvenza cinerina. Come se non riuscisse, insomma, fisicamente, per resistenza psicologica, a cogliere il brillare dei colori alti, lo sfaccettarsi delle vibrazioni luminose; ma tutto gli si appannasse e sfilacciasse nelle pennellate insieme dolci e sorde; nel momento stesso in cui questa realtà gli slitta davanti precipite, o si inerpica dinamicamente verso il fondo, trasformando la visione particolare in una sintesi da mappa cosmica.
La serie di opere qui raccolte, che appartengono all'ultima produzione dell'artista – alcune di dimensioni davvero eccezionali, quasi a sostituire simbolicamente la realtà dello spazio entro cui si pongono – possono essere raccolte in due gruppi (salvati pochi soggetti): figure – qualche volta veri e propri ritratti – e ambienti. Fra i due temi esiste una sorta di incompatibilità, perché là dove appare la persona essa risucchia tutto l'ambiente intorno a sé, l'ambiente si presenta pressocché nudo, palcoscenico minimamente arredato di un'azione che accentua i tratti della solitudine, monologo astratto dalla contingenza spicciola. Se la persona non c'è, ecco l'ambiente pullulare di tracce: che sono, per la gran parte, frammenti, residui, relitti di presenze vitali passate di lì, forse un momento prima, o anni prima; in ogni caso, abbandonando sul terreno le testimonianze dell'agire e dell'essere. Tanto è vero che nei pochi dipinti in cui le stanze fitte di oggetti sono occupate anche da una figura umana, essa appare emarginata e travolta dalla silenziosa violenza del disor-

Rossana Bossaglia

In your first encounter with Alessandro Papetti's paintings, you immediately identify the expressive climate in which he is participant and of which he is heir. Stefano Fugazza recently and quite correctly has indicated a series of coordinates—or better, routes—which we can use to locate and place the artist. And his citations are all the more legitimate given the fact that Papetti's work is saturated with culture and intellectual emotion, while being so powerful and personal as to rank with the best. I will add: one of the most intense reactions one experiences in viewing these paintings is a stimulation of memory, not in the sense that the artist engages in citations, but because of the density of psychological and atmospheric stimuli, and of his compositional styles and color palette. But the stimuli range from one realm to another; they are not contained within one school. If you think of Bacon or Sutherland, Papetti seems to fit well within a certain specific Anglo Saxon characterization. In other ways, his affinity with expressionism in the strict sense points to the Germans. And then his vision of things can also rightly be included in the realm of Italian existential realism.

The conclusion is that Papetti truly, freely, and autonomously belongs to an extended international clime. And since I mentioned the color palette, he is also part of a great tradition, that of the choice of a nearly monochromatic color scheme, with a preference for greys just barely warmed by roses and violets, greys that are so soft at times they border on brown.

This "grey" painting has a long history (and here too Fugazza has spoken well, citing Boldini and going so far as to draw in Tintoretto. I would add El Greco, of whom one notes something in *Papetti's anamorphosis, as in Boldini*). In Papetti's hands, this painting becomes more than ever a sort of personal interpretive key to reality, as if the artist, in the act of preparing to record what he sees around him (preferably closed within his studio; these are not "en plein air" works) and half closing his eyes to define the borders and limits of the composition, lets only a grey resemblance of things filter through. It is as if because of some physical or psychological impediment he could not pick up the brilliance of high colors, the facets of luminous vibrations. But instead everything blurs and unravels in his soft and muffled brush strokes, just as this reality passes precipitously before him or dynamically climbs towards the depths, transforming the particular vision into the synthesis of a cosmic map.

The series of paintings collected here, the artist's most recent works – some of which are exceptionally large, as if symbolically substituting the reality of their exhibition space – can be collected into two groups (with a few exceptions): figures, at times bona fide portraits; and spaces. There is a sort of incompatibility between the two themes, because where there is a human figure it sucks its entire *surroundings in around it*, and the setting is almost denuded, a minimally decorated stage for an act that accentuates the features of solitude, a minimalist monologue. If there is no person, the space teems with traces, mainly fragments, residues, remnants of vital presences that have passed that way, perhaps just a moment ago, or perhaps years ago. In any case, we still see the evidence of their action and presence on the scene. In the few paintings in which the object-packed rooms are also occupied by a human figure, he is marginalized and overwhelmed by the silent

dine ambientale, meno espressiva degli oggetti che la circondano; e se, infine, ancora vi si accampa con carnale evidenza (pochi casi: penso al *Nudo femminile in una stanza*), la scena assume la virulenza di un film dell'orrore, siamo ai limiti dello shock esistenziale.
Questa visione delle cose si giova di speciali tagli prospettici. Papetti predilige le vedute dall'alto, che gli consentono di dominare l'ambiente senza parteciparvi, tenendosene fuori; anzi, nella maggior parte dei casi, il punto di vista è esterno, come se il pittore gettasse lo sguardo su una realtà imprendibile; tanto più affascinante la soluzione interpretativa appare nei quadri su temi di archeologia industriale, che accostano il remoto dello spazio a quello del tempo. Oppure l'artista si pone acquattato sulla soglia della visione, cioè da un punto di vista ribassato; cosicché davanti a lui si inerpica il tavolo con gli strumenti del suo lavoro, recipienti, pennelli; si manifestano nella loro consunta o sdruscita corporeità arnesi metallici, vecchie sedie rovesciate, e quella specie di fanghiglia che è più deposito di memorie che non di polvere e umidità.
A un tratto – stiamo cambiando quadro, ma è come se la scena, per improvviso artificio di luci, si modificasse sotto i nostri occhi – compare nel fondo dello studio (e i quadri sono accostati o isolati sul pavimento divenuto palcoscenico) la figura umana: il pittore stesso, in un autoritratto che lo rivela in fondo a un tunnel visivo, o il giovane con le mani attanagliate ai braccioli della poltrona, che ci guarda duro e drammatico: sa bene di essere su un "tapis roulant" che lo inghiottirebbe nel fondo se lui soltanto osasse venire verso di noi. Qui non si tratta più del tema della prigione esistenziale; piuttosto del suo contrario; giacché questi ambienti tendono a dilatarsi o a inabissarsi in una voragine orizzontale. La visione generale tende a farsi convessa, sicché la solitudine dei personaggi e degli oggetti è quasi sul polo di un mappamondo.
Un mappamondo povero, non epico; acre ma intimizzato; borghese; dove le tracce dell'esistere – indicate in evidente metafora là dove figurano bucrani o frammenti di ossa calcinate – si sciolgono e colano: l'urlo è afono, il cane in atto di aggredire la preda è già l'ombra di se stesso.
Se l'arte è memento della caducità delle cose e dello scorrere di ogni presenza verso silenzi irraggiungibili, queste testimonianze di Papetti paiono moderni commenti al biblico testo dell'Ecclesiaste. Ma l'arte è anche saper raccogliere le tracce e trasformarle in reperti, dar senso al frammento, riconoscere nella morte la vita che è stata, fissare nella memoria presenze ormai risucchiate dallo svolgersi del tempo; far di ogni cosa ricordo, nell'atto stesso in cui la si vive, e consegnarla come tale all'emozione di ciascuno di noi. Queste cose, penso, Papetti vuole dire; o almeno, ci consente di sentire, coinvolgendoci in una rappresentazione di alta temperatura qualitativa.
(Da *Reperti*, Galleria Rinaldo Rotta, febbraio 1992)

violence of the disorder around him, and is less expressive than the objects surrounding him. And if he still stands there in carnal evidence (*one of the few cases is Nudo femminile in una stanza*), the scene assumes the virulence of a horror film; we find ourselves teetering on the verge of existential shock.

This vision of things is enhanced by a special perspective style. Papetti favors the view from above, which allows him to dominate the scene without being part of it. In most cases his viewpoint is entirely external, as if the painter cast his gaze on an inaccessible reality. The interpretive solution appears even more fascinating in paintings of themes from industrial archaeology, which juxtapose the remoteness of space with that of time. Or else the artist squats at the threshold to the vision, i.e., he views the scene from a low-lying perspective, so that before him the table rises with the tools of his trade, recipients and brushes. In a consumed or dripping corporeity, we behold the metal utensils, old overturned chairs and a sort of sludge that is more an amassing of memories than a slow accumulation of dust and moisture.

Suddenly – we are moving to another painting but it is as if the scene mutated before our eyes by a trick of the lighting – a human figure appears at the back of the studio (and the paintings are set or isolated on the floor-become-stage). *It is the painter himself, in a self-portrait that depicts* him at the end of a visual tunnel, or the youth with his hands gripping the arms of the chair looking at us with a hard and dramatic expression. He knows full well that he is on a "moving walkway" that would swallow him down at the back of the studio if he so much as dared to take a step in our direction. Here we are no longer dealing with the theme of the existential prison, but rather with its opposite since these spaces tend to expand or sink into a horizontal abyss. The general vision tends towards the convex in such a way that the solitude of the personages and the objects is almost at the pole of a globe.

It is an impoverished, non-epic globe, acrid but made intimate, bourgeois, where the traces of existence – indicated in a clear metaphor where we see bucrania or chalky bone fragments – dissolve and disappear. The shout is voiceless, the dog about to attack its prey has already become its own shadow. If art is the memento of the transience of things and the flowing of every existence towards inaccessible silence, these statements of Papetti's appear to be modern comments on Ecclesiastes. But art is also knowing how to pick up the traces and transform them into relics, give a meaning to the fragment, recognize in death the life that was once there, fix in memory existences sucked up and away by the passing of time, make everything a memory in the very act of living it, and delivering it up as such to the emotions of each of us. I think that Papetti wants to say these things, or at least he lets us hear them, engaging us in a high temperature representation.

(From *Reperti*, Rinaldo Rotta Gallery, February 1992)

Trittico, 1990
Acrilico su cartone intelato
/ Acrylic on cardboard on canvas
140 x 100 cm (ognuno / each)
Collezione privata / Private collection

Capretto, 1993
Olio su carta intelata / Oil on paper on canvas
140 x 100 cm
Collezione privata / Private collection

Capretto, 1993
Olio su tela / Oil on canvas
140 x 75 cm
Collezione privata / Private collection

Crocifissione, 1994
Olio su tela / Oil on canvas
200 x 150 cm
Collezione privata / Private collection

Tre studi per testa di capretto, 1994
Olio su tela / Oil on canvas
80 x 180 cm
Collezione privata / Private collection

Trittico - Tre studi per capretto, 1996
Olio su tela / Oil on canvas
80 x 180 cm
Collezione privata / Private collection

Capretto, 1999
Olio su tela / Oil on canvas
100 x 100 cm
Collezione privata / Private collection

Due studi per crocefissione, 2000
Olio su tela / Oil on canvas
65 x 50 cm (ognuno / each)
Collezione privata / Private collection

Crocifissione, 2000
Olio su tela / Oil on canvas
200 x 100 cm
Collezione privata
/ Private collection

Esterni / Exteriors

Stefano Crespi

Nell'arco della pittura di Alessandro Papetti, c'è stata una consistenza di tempo, nel dato empirico di sensi, di cultura, di una tradizione, di vicinanze. Reperti, Interni, Fabbriche erano anche luoghi, con un accento di fascinazione, di "qui del mondo". Ed è molto significativo che in un pittore, ancora giovane, si abbia a sentire (pur con qualche rischio e incertezza) l'istanza, la tensione di un percorso. Jacques Rivière, nelle pagine stupende di *Etudes*, per l'amore compenetrato a un luogo, non si vergogna di usare addirittura la parola località (ripresa in Merleau-Ponty nell'espressione tonalità locale), con la percezione però dell'oscura presenza, del transitorio. Yves Bonnefoy parla del pittore, del viaggio interno di un pittore, in quella che è la metafora di un'opera pittorica: dalla "pagina immobile" all'altrove, alla cifra disperante dell'irrealtà.
(Da *Pittura, l'acqua, l'ora del cielo blu*), *Alessandro Papetti Acqua*, Skira, 1999

Throughout Alessandro Papetti's paintings, there has been a temporal development in the empirical datum of senses, culture, tradition, and affinity. Reperti, Interni, Fabbriche [Finds, Interiors, Factories] were also places, with an accent on fascination, from "here in this world". And it is very meaningful that we are able to detect (albeit with an element of uncertainty, and we take some risk in doing so) in a painter who is still young the existence and tension of movement along a path. For the love of place, Jacques Rivière, in his stupendous *Etudes*, feels no shame in using the word locality (picked up by Merleau-Ponty in the expression local tonality). However, he does so with the perception of an obscure presence, of the transitory. Yves Bonnefoy speaks of the painter, of the inner journey of a painter, in the metaphor of the pictorial work: from the "unmoveable page" to elsewhere, to the anguishing code of the unreal.
(From *Painting, water, the blue sky hour*), *Alessandro Papetti Acqua*, Skira, 1999

Portaerei in costruzione, 1998
Olio su tela / Oil on canvas
200 x 150 cm
Collezione privata / Private collection

Cantiere navale, 2000
Olio su tela / Oil on canvas
140 x 200 cm
Collezione privata / Private collection

Cantiere navale, 2001
Olio su tela / Oil on canvas
130 x 205 cm
Collezione privata / Private collection

Altoforno, 2000
Olio su tela / Oil on canvas
125 x 205 cm
Collezione privata / Private collection

Altoforno, 1999
Olio su tela / Oil on canvas
184 x 104 cm
Collezione privata
/ Private collection

Prua, 2002
Olio su tela / Oil on canvas
200 x 300 cm
Collezione privata / Private collection

Cantiere navale, 2002
Olio su tela / Oil on canvas
164 x 205 cm
Collezione privata / Private collection

Rotterdam - Notturno, 2002
Olio su tela / Oil on canvas
150 x 180 cm
Collezione privata / Private collection

Cantiere di Monfalcone - Sommergibile al varo, 2003
Olio su tela / Oil on canvas
205 x 130 cm
Collezione privata / Private collection

Bacino di carenaggio, 2003
Olio su tela / Oil on canvas
205 x 165 cm
Collezione privata / Private collection

Sommergibili in bacino di carenaggio - Notturno, 2004
Olio su tela / Oil on canvas
138 x 205 cm

Sommergibile in allestimento, 2003
Olio su tela / Oil on canvas
172 x 205 cm
Collezione privata / Private collection

Pagine seguenti/Next pages
Cantiere navale notturno, 2003
Olio su tela / Oil on canvas
205 x 300 cm
Collezione privata / Private collection

Cantiere navale, 2004
Olio su tela / Oil on canvas
202 x 155 cm
Collezione privata / Private collection

La nave bianca, 2004
Olio su tela / Oil on canvas
100 x 100 cm
Collezione privata / Private collection

Officine Renault, 2004
Olio su tela / Oil on canvas
205 x 155 cm
Collezione privata / Private collection

Ile Seguin, 2004
Olio su tela / Oil on canvas
174 x 100 cm
Collezione privata / Private collection

Mercantile in costruzione, 2004
Olio su tela / Oil on canvas
100 x 130 cm
Collezione privata / Private collection

Portacontainers, 2004
Olio su tela / Oil on canvas
60 x 80 cm

Cantiere navale, 2005
Olio su tela / Oil on canvas
170 x 130 cm

Inverno, 2005
Olio su tela / Oil on canvas
200 x 300 cm

Città - Notturno, 2005
Olio su tela / Oil on canvas
168 x 205 cm
Collezione privata / Private collection

L'Avana, 2004
Olio su tela / Oil on canvas
170 x 140 cm

1970, 2004
Olio su tela / Oil on canvas
205 x 140 cm
Collezione privata / Private collection

L'Avana, 2004
Olio su tela / Oil on canvas
165 x 205 cm
Collezione privata / Private collection

Senza titolo, 2005
Olio su tela / Oil on canvas
165 x 205 cm
Collezione privata / Private collection

Periferia, 2005
Olio su tela / Oil on canvas
165 x 205 cm
Collezione privata / Private collection

Acqua / Water

Paolo Biscottini

Nel caso della piscina il tema di una nuova e possibile cognizione di sé si ricollega al tema della leggerezza, del rapporto fra il vuoto e il pieno, della sospensione e dell'abbandono.
Com'è fragile questo abbandono di sé nell'acqua e come intensamente bella l'atmosfera di un notturno marino, dove sullo sfondo, come trepide stelle, si accendono minime luci, bagliori che non accecano l'occhio, ma gli fanno intuire la profondità misteriosa dello spazio immenso, dove naufragano le tensioni e la quiete conquista i sensi.
(Da *Acqua*), *Alessandro Papetti Acqua*, Skira, 1999

In the swimming pool the theme of new possibilities of self knowledge is related to the themes of lightness, the relationship between filled and empty space, and suspension and abandonment.
How fragile is this abandonment of self in the water. And how intensely beautiful is the atmosphere of the nighttime sea, where tiny lights come on like quaking stars in the background, a glow that does not blind the eye, but helps it intuit the mysterious depth of immense space, which engulfs all tension and spreads a mantle of peace over the senses.
(From *Water*), *Alessandro Papetti Acqua*, Skira, 1999

Stefano Crespi

C'è una ricarica del colore (il blu), della pittura, di un indefinito psichico, della figura sorpresa in un gesto dell'attimo e di una notte senza tempo: un'immagine avvicinata come grammatica e sontuosamente allontanata come ricordo, traccia, seduzione.
Le opere sono riconducibili al tema unitario di Acqua: sono bagni di notte, trittici in orizzontale e in verticale, studi per la piscina. L'acquaticità anzitutto è la diretta metafora di una forza che è erotica e mistica. Questo tema ossesivo dell'acqua libera una *Décadence* dell'ambiguità, sposta la pittura (i temi stessi della sua pittura) verso un'esistenza limite, è il non-luogo dell'eccessivo, della "femminilità", del fantastico, della commozione originaria.
(Da *Pittura, l'acqua, l'ora del cielo blu*), *Alessandro Papetti Acqua*, Skira, 1999

There is an extra dose of color (blue), of paint, of a psychic *je ne sais quoi*, of the figure caught in a moment's gesture and of a timeless night: an image brought closer like grammar and sumptuously withdrawn like a memory, a trace, a seduction.
The works all relate to the unifying theme of Water: they are nighttime dips, horizontal and vertical triptychs, studies for the swimming pool. The wateriness is above all the direct metaphor for an erotic and mystical force. This obsessive theme of water unleashes a decadence of ambiguity, shifts the painting (the themes of his painting) towards a limiting existence, it is the non-place of excessiveness, of "femininity", of the fantastic, of the original emotionally moved state.
(From *Painting, water, the blue sky hour*), *Alessandro Papetti Acqua*, Skira, 1999

Acqua, 1998
Olio su tela / Oil on canvas
200 x 140 cm
Collezione privata / Private collection

Acqua - Il bagno di notte, 1998
Olio su tela / Oil on canvas
200 x 140 cm
Collezione privata / Private collection

Acqua - Il bagno di notte, 1999
Olio su tela / Oil on canvas
200 x 140 cm

Acqua - Il bagno di notte, 1998
Olio su tela / Oil on canvas
200 x 140 cm
Collezione privata / Private collection

Acqua, 1999
Olio su tela / Oil on canvas
180 x 100 cm
Collezione privata
/ Private collection

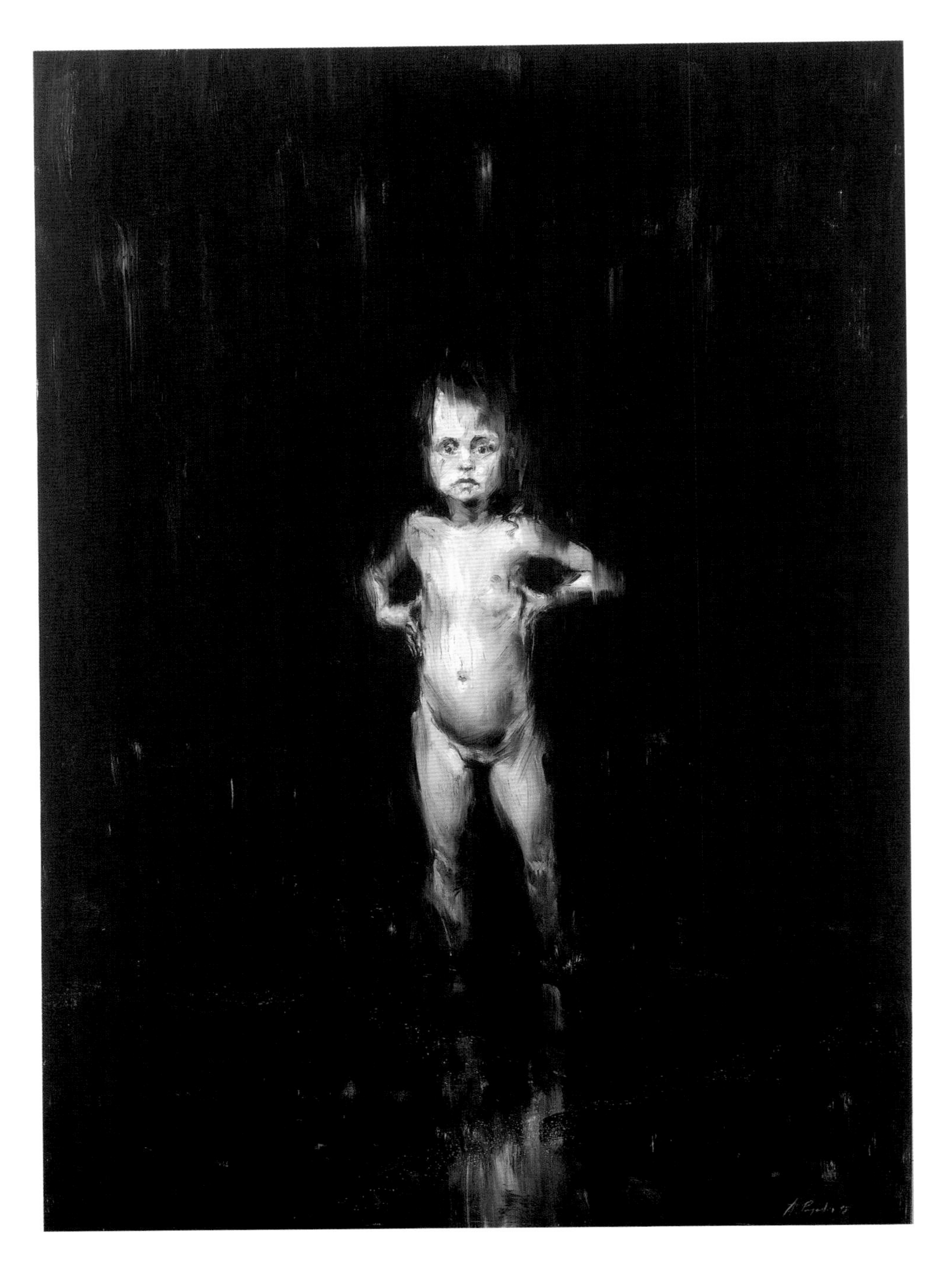

Piscina, 1999
Olio su tela / Oil on canvas
200 x 200 cm
Collezione privata / Private collection

Acqua, 1999
Olio su tela / Oil on canvas
182 x 100 cm
Collezione privata
/ Private collection

Acqua, 1999
Olio su tela / Oil on canvas
200 x 205 cm
Collezione privata / Private collection

Acqua, 1999
Olio su tela / Oil on canvas
102 x 104 cm
Collezione privata / Private collection

Acqua - Trittico, 1999
Olio su tela / Oil on canvas
70 x 210 cm
Collezione privata / Private collection

Acqua, 2000
Olio su tela / Oil on canvas
200 x 140 cm
Collezione privata / Private collection

Acqua - Notturno, 2000
Olio su tela / Oil on canvas
200 x 130 cm
Collezione privata / Private collection

Acqua - Il bagno di notte, 2000
Olio su tela / Oil on canvas
200 x 130 cm
Collezione privata / Private collection

Acqua - Riflessi, 2001
Olio su tela / Oil on canvas
200 x 230 cm
Collezione privata / Private collection

Riflessi, 2001
Olio su tela / Oil on canvas
184 x 104 cm
Collezione privata / Private collection

Acqua - Giocatori, 2002
Olio su tela / Oil on canvas
185 x 140 cm
Collezione privata / Private collection

Due studi per salto - Acqua, 2002
Olio su tela / Oil on canvas
205 x 195 cm
Collezione privata / Private collection

Piscina - Riflessi, 2004
Olio su tela / Oil on canvas
60 x 112 cm
Collezione privata / Private collection

Piscina - Figura sospesa, 2003
Olio su tela / Oil on canvas
200 x 205 cm
Collezione privata / Private collection

Piscina, 2003
Olio su tela / Oil on canvas
205 x 150 cm
Collezione privata / Private collection

Piscina - Riflessi, 2003
Olio su tela / Oil on canvas
205 x 155 cm
Collezione privata / Private collection

Piscina - Trittico, 2004
Olio su tela / Oil on canvas
70 x 210 cm
Collezione privata / Private collection

Piscina - Trittico, 2005
Olio su tela / Oil on canvas
480 x 600 cm

Fotografia / Photography

1989-2005

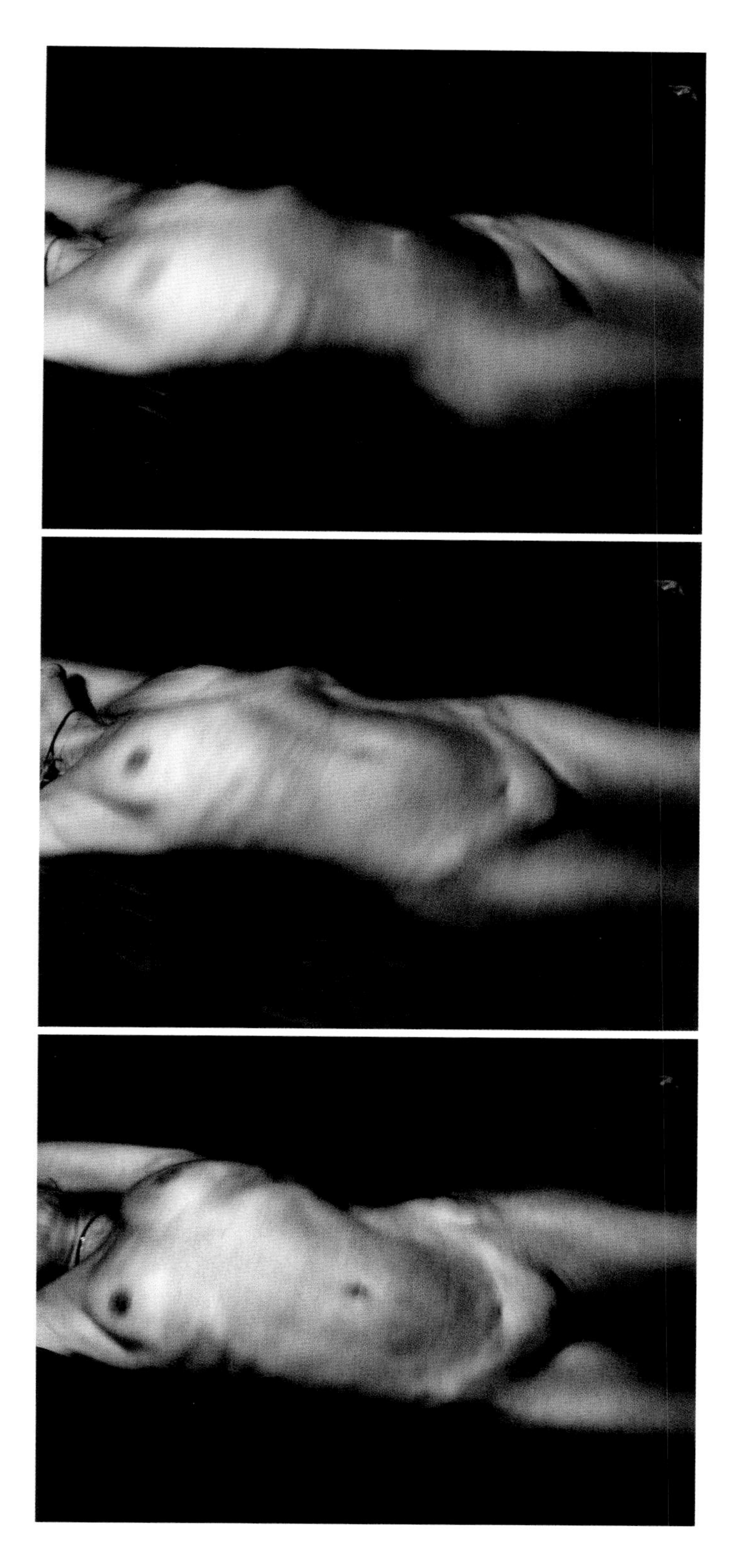

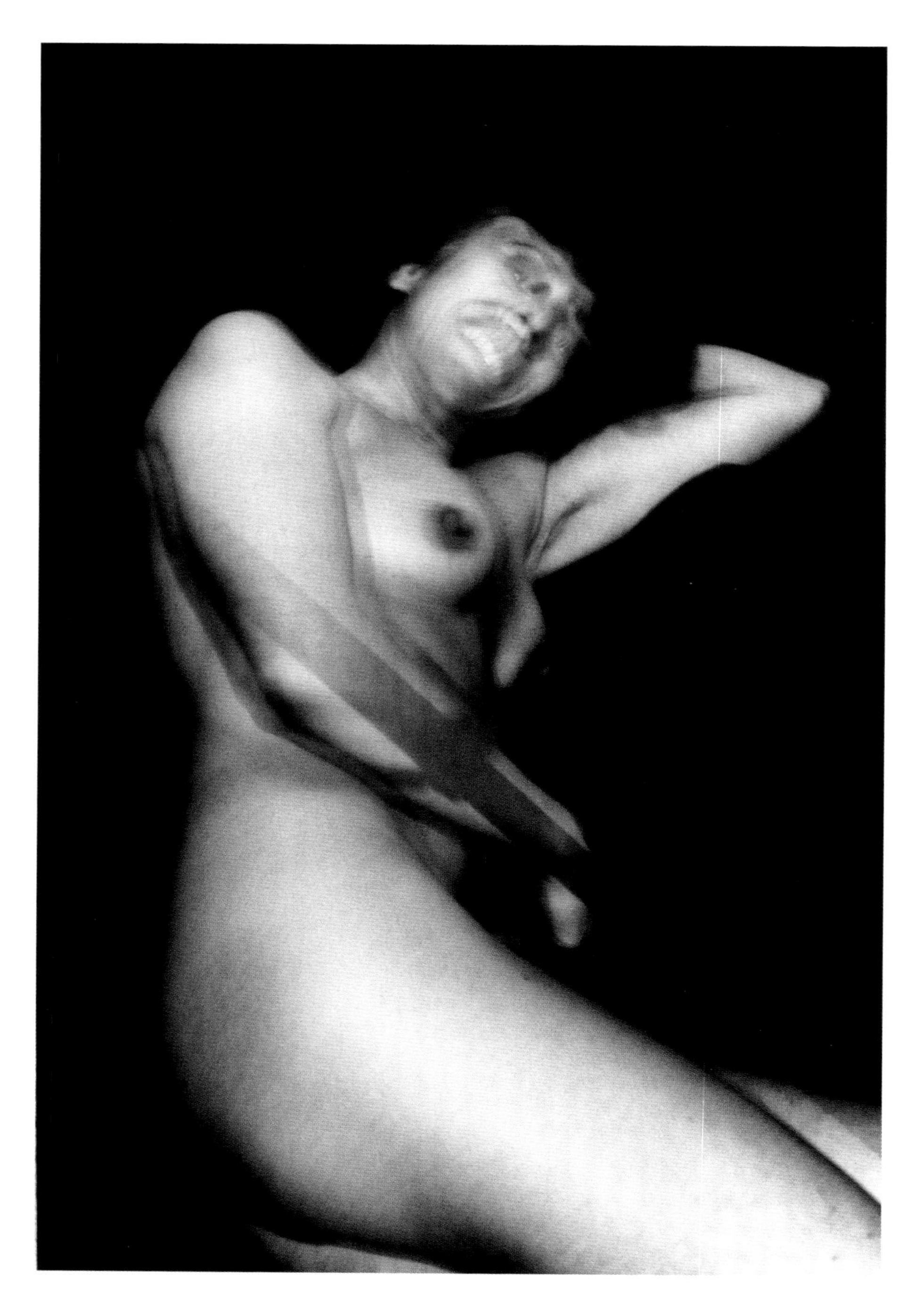

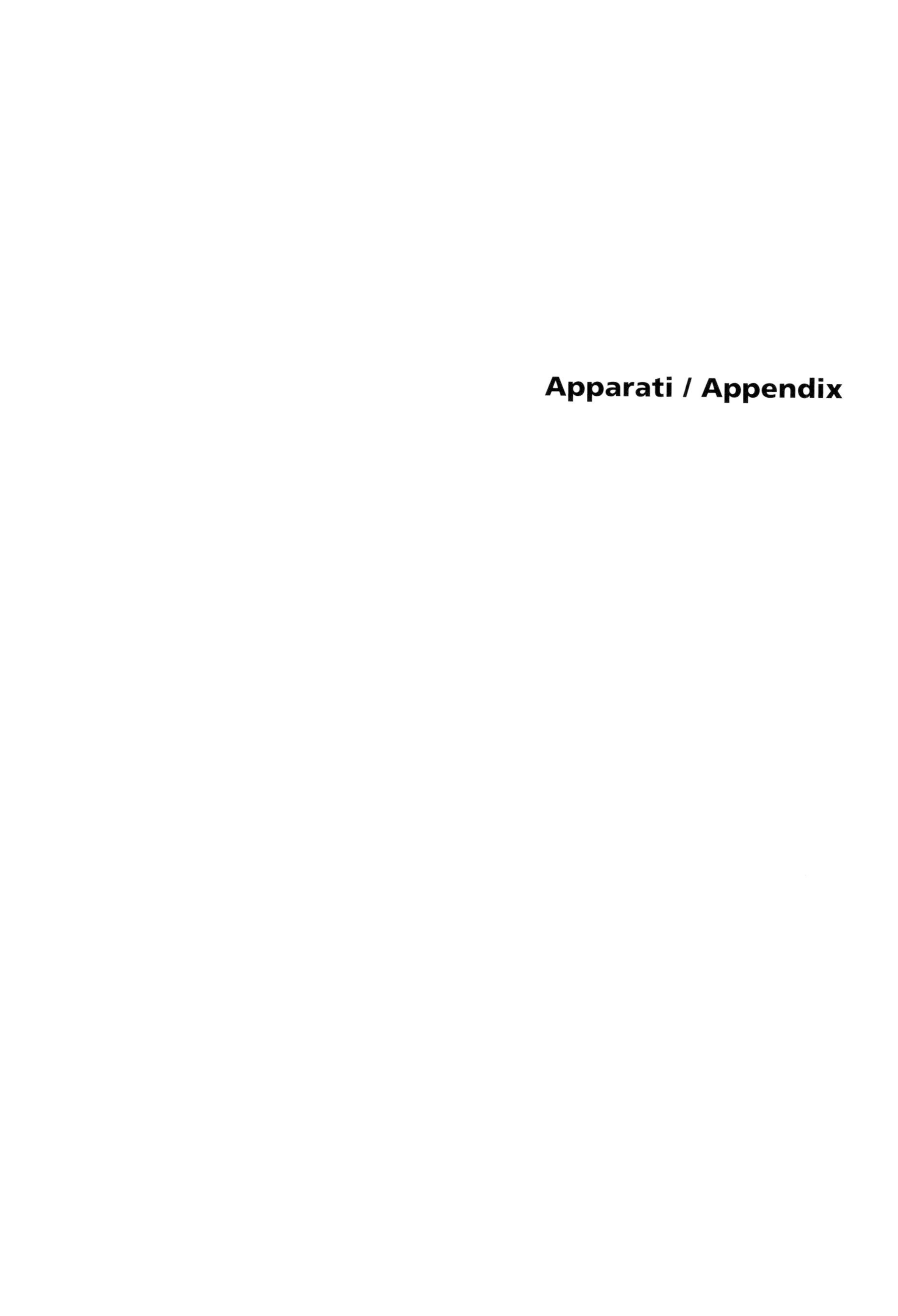

Apparati / Appendix

Biografia

Alessandro Papetti è nato a Milano nel 1958 e si è dedicato alla pittura dopo aver concluso gli studi classici. Gli anni dal 1980 al 1986 sono stati quelli della ricerca e delle prime mostre personali a cui segue la partecipazione, a partire dal 1988, a rassegne in spazi pubblici in Italia. Tra il 1988 e il 1990 la sua pittura si concentra sul tema dei ritratti visti dall'alto, ciclo al quale, nel 1989 Giovanni Testori dedica un articolo sul "Corriere della sera". A questa visione grandangolare della realtà segue tra il 1990 e il 1992 un ciclo di dipinti intitolato *Reperti*, nei quali l'attenzione è focalizzata più sul particolare: una sorta di studio analitico sulla forma, sulle tracce lasciate dal tempo in atelier e interni di fabbrica. Come naturale conseguenza, a partire dal 1992 Papetti approfondisce la sua ricerca sui temi dell'archeologia industriale, come testimonia, tra le altre, la mostra ai Musei Civici di Villa Manzoni di Lecco. Dal 1992 partecipa a rassegne in spazi pubblici e a varie fiere dell'arte in Europa e negli Stati Uniti. Dal 1995 svolge la sua attività tra Milano e Parigi. È di quell'anno l'incontro con lo scrittore e biografo James Lord, che gli dedicherà nel 1996 un significativo testo critico. La pittura di Papetti in quel periodo segue parallelamente i temi degli interni e dei ritratti. Particolare attenzione viene rivolta, negli ultimi anni, allo studio e all'approfondimento del nudo. Queste ricerche, unite all'esigenza di 'uscire', di porsi nei confronti del 'contenitore' con un atteggiamento psicologico differente, hanno portato la sua pittura, dal 1998, a misurarsi con l'esterno, soprattutto attraverso i temi dei cantieri e dei porti industriali e alla realizzazione dei dipinti del ciclo dell'acqua.

Biography

Alessandro Papetti was born in Milan in 1958. After the classical studies, he held his first exhibitions between 1980 and 1986, and since 1988 his work has been shown in Italian public spaces. From 1988 he concentrated on portraits in which the figure is seen from the above, to this series of paintings the writer and critic Giovanni Testori dedicated an article on the *Corriere della sera*. To this series followed the cycle *Reperti* [Findings] in which his attention is focalized on the particular: a kind of analytical study on form, on the traces left by time in the space of artist's ateliers and industrial interiors. As a natural consequence of this, since 1992 he concentrated on the themes of industrial archaeology, and these paintings were exhibited at the Musei Civici of Villa Manzoni in Lecco. He participated since 1992 to many exhibitions and art fairs in Europe and the United States. Since 1995 he divides his time between Milan and Paris. In that year he met the writer and biographer James Lord who wrote a significant critical essay on his work in 1996. In recent years Papetti's painting developed between interiors and portraits, the latter focused on the nude. These researches, along with the need to 'get out' and look at the 'container' with a different psychological attitude has led him, since 1998, to paint the urban, industrial scenery and the water cycle paintings.

Esposizioni / Exhibitions

Esposizioni personali / Solo exhibitions

1983
Bayerische Vereinsbank, Milano

1984
Galleria San Michele, Brescia

1985
Galleria Schubert, Milano
Fondazione Corrente, Milano

1986
Galleria Busi, Chiavari (Genova)
Galleria San Michele, Brescia

1987
Studio F22, Palazzolo sull'Oglio (Brescia)

1989
Galleria Rotta, Genova
Galleria 15, Piacenza

1990
Università Bocconi, Milano
Galleria Pegaso, Viareggio (Lucca)

1991
Frammenti di memoria, Galleria 15, Piacenza

1992
Galleria Rotta, Genova
Galleria del Cavallino, Venezia
Galleria Bellinzona, Lecco

1993
Zedes Art Gallery, Bruxelles

1995
Galleria Pegaso, Forte dei Marmi (Lucca)
Galerie Alain Blondel, Paris

1996
Galleria Davico, Torino
Galleria Bellinzona, Milano
Musei Civici di Villa Manzoni, Lecco
Galleria Forni, Bologna
Galleria Narciso, Roma

1997
Galleria Il Tempietto, Brindisi
Galerie Alain Blondel, Paris
Galleria Comunale d'Arte, Cesena

1998
Zedes Art Gallery, Bruxelles
Buschlen Mowatt Galleries, Vancouver

1999
Acqua, Galleria Forni, Milano
Galerie Alain Blondel, Paris

2000
Buschlen Mowatt Galleries, Vancouver
Galleria Forni, Bologna

2001
Buschlen Mowatt Galleries, Vancouver
Wasser, Museo Civico di Chiusa, Bolzano
De Twee Pauwen Gallery, Den Haag

2002
Galerie Alain Blondel, Paris
Buschlen Mowatt Galleries, Vancouver
The Everard Read Gallery, Johannesburg
De Twee Pauwen Gallery, Den Haag
Galleria Forni, Milano

2003
Galleria dello Scudo, Verona
Buschlen Mowatt Galleries, Palm Desert (California); Vancouver
The Everard Read Gallery, Johannesburg
Galleria Forni, Bologna

2004
Galerie Alain Blondel, Paris
Buschlen Mowatt Galleries, Vancouver
Galleria Busi, Chiavari

2005
De Twee Pauven Gallery, Den Haag
Buschlen Mowatt Galleries, Palm Desert (California)
The Everard Read Gallery, Johannesburg

Esposizioni collettive / Group exhibitions

1984
Galleria Schubert, Milano

1986
Fondazione Corrente, Milano

1987
XXX Biennale Nazionale d'Arte, Premio per la Pittura, Palazzo della Permanente, Milano
Biennale Giovane d'Arte Contemporanea, Castello, Sartirana Lomellina (Pavia)
Castello, Trezzo d'Adda (Milano)

1990
Arte Permanente, Palazzo della Permanente, Milano
Fondazione Corrente, Milano

1991
Il ritratto nella pittura italiana del '900, Castello estense, Mesola (Ferrara)

1992
Sieben Künstler aus Mailand, Feierabendhau, Ludwigshafen (Basf)
Sette giovani artisti, Palazzo della Permanente, Milano

1993
Arte Fiera, Galleria Forni, Bologna
Utopie metropolitane, Politecnico, Milano
Venature, Castello mediceo, Melegnano (Milano)
Erschlossene Räume, Ettensburg Schloss, Weimar
Lineart Expò, Galleria Rotta, Gent
XXXII Biennale Nazionale d'Arte, palazzo della Permanente, Milano

1994
Arte Fiera, Galleria Forni, Bologna
Venature, Sala della Provincia, Sondrio
Museo dell'Alto Mantovano, Mantova
Venti pittori in Italia, Galleria Ciman, Arzignano, Vicenza
Filò Arte Contemporanea, Treviso
Castello estense, Mesola (Ferrara)
Ex convento di San Francesco, Sciacca (Agrigento)
Galleria dello Scudo, Verona
Galleria Basile, Palermo
Flok Art, Reggio Emilia
Galleria Il Triangolo, Cremona
Galleria Forni, Bologna
Galleria Bergamini, Milano
Compagnia del Disegno, Milano
Galleria Bellinzona, Lecco
Galleria Bambaia, Busto Arsizio (Varese)
Reale e immaginario, Santa Maria della Pietà, Cremona
Arte Fiera, Lingotto, Torino
Lineart Expò, Galleria Rotta, Gent

1995
Arte Fiera, Galleria Forni, Bologna
Stanze, interni e interiorità, Palazzo Foscolo, Pinacoteca "A. Martini", Oderzo (Udine)
Continuità del talento, Galleria Forni, Bologna
Salon de Mars, Galerie Alain Blondel, Paris
Lo sguardo narrante, Galleria Comunale d'Arte, Cesena
Chicago Art Fair, Galleria Forni, Chicago
London Art Fair, Buschlen Mowatt Galleries, London
Galleria Marieschi, Monza
Singapore Art Fair, Buschlen Mowatt

Galleries, Singapore
Fiac, Galerie Alain Blondel, Paris
Art Fair, Buschlen Mowatt Gallery, Hong Kong
Zehn Von Hundert, Zehn Jahre Basf Kunstaustellung, Feierabenhaus, Ludwigshafen (Basf)
Lineart Expò, Galleria Rotta, Gent
Galleria Schubert, Milano

1996
Arte Fiera, Galleria Forni, Bologna
Art Fair, Buschlen Mowatt Galleries, Miami
Art Fair, Buschlen Mowatt Galleries, Seattle
La forza dell'immagine, la pittura del realismo in Europa, Martin Gropius Bau, Berlin
Salon de Mars, Galerie Alain Blondel, Paris
Metropoli. Quaranta artisti delle aree metropolitane di Milano e Berlino, mostra itinerante
Lineart Expò, Galleria Rotta, Gent
Pitture, Casa dei Carraresi, Treviso

1997
Arte Fiera, Galleria Forni, Bologna
Miart, Galleria Forni, Milano
Art Fair, Buschlen Mowatt Galleries, Miami
Art fair, Buschlen Mowatt Galleries, Seattle
Galleria Forni, Bologna
La pelle nera, Galleria Marieschi, Monza
Ritratti a Testori, Casa dei Carraresi, Treviso
Art Fair, Buschlen Mowatt Galleries, Singapore
Art Fair, Buschlen Mowatt Galleries, Washington
Artissima, Galleria Forni, Torino
Continuità dell'immagine, Mole Vanvittelliana, Ancona

1998
Arte Fiera, Galleria Forni, Bologna
Miart, Galleria Forni, Milano
Premio Morlotti, Milano
Opera genera opera, poesia e pittura a Bologna, Bologna
Art Fair, Galleria Rotta, Barcelona
Art Palm Beach, Buschlen Mowatt Galleries, Palm Beach
Art International, Buschlen Mowatt Galleries, New York
Biennale di arte sacra, Fondazione Stauros San Gabriele, Teramo
Scrivere di pittura, Galleria Il Triangolo, Cremona
Galleria Ghiggini, Varese
In Figura, Sala del Consiglio, Camorino, Canton Ticino
Ancora è calda l'erba sui miei prati, Galleria Forni, Milano
Miart, Galleria Forni, Milano
Il nuovo ritratto in Italia, Spazio Consolo, Milano

1999
Arte Fiera, Galleria Forni, Bologna
Art Fair, Buschlen Mowatt Galleries, Miami
Miart, Galleria Forni, Milano
Il divenire e l'ombra, Fermo (Ascoli Piceno)
Galleria Lawrence Rubin, Milano
Art 98, Galleria Lawrence Rubin, Basel
Realism Knows no Bounds, Van de Griff Gallery, Santa Fe
Emergenti, Galleria Forni, Bologna
Art Fair, Buschlen Mowatt Galleries, Beverly Hills

2000
Arte Fiera, Galleria Forni, Bologna
Art Fair, Buschlen Mowatt Galleries, Miami
Art Fair, The Twee Pauwen Galleries, Den Haag
Sui Generis, PAC, Milano
Pavillon, Galerie Alain Blondel, Paris
Miart, Galleria Forni, Milano
Art 2000, Buschlen Mowatt Galleries, London
International Art Fair, Toronto
Da Boccioni a Bacon alla contemporaneità, Galleria Forni, Bologna
Figurazione a Milano dal secondo dopoguerra a oggi, La Posteria, Milano

2001
Arte Fiera, Galleria Forni, Bologna

Salon de Mars, Galleria Forni, Genève
Art Fair, Galleria Forni, Barcelona
Art Palm Beach, Buschlen Mowatt Galleries, Palm Beach
Art Miami, Buschlen Mowatt Galleries, Miami
International Art Fair, Buschlen Mowatt Galleries, Toronto
St'Art Art Fair, Galleria Forni, Strasbourg
Miart, Galleria Forni, Milano
In medias res - Nel vivo della pittura, Galleria Forni, Milano
Figurazione, Galleria Forni, Milano

2002
Arte Fiera, Galleria Forni, Bologna
Miart, Galleria Forni, Milano
Art Fair, De Twee Pauwen Gallery, Rotterdam
Art Palm Beach, Buschlen Mowatt Galleries, Palm Beach
International Art Fair, Buschlen Mowatt Galleries, Toronto
St'Art Art Fair, Galleria Forni, Strasbourg
Il Po in controluce, Complesso degli Olivetani, Rovigo
Ritratto contemporaneo, Torre di Moggio Udinese (Udine)
Contemporary Portrait, Torre Medioevale, Moggio Udinese (Udine)
Ottant'anni. 40 di mostre, Galleria Forni, Bologna
Sconfinamenti, castello di Spezzano, Fiorano Modenese (Modena)

2003
Arte Fiera, Galleria Forni, Bologna
St'Art Art Fair, Galleria Forni, Strasbourg
Città, Galleria Forni, Milano
Miart, Galleria Forni, Milano
Volti, Sala del Consiglio comunale, Vanzaghello (Milano)
Giovanni Testori. Un ritratto, Palazzo Leone da Perego Mazzotta, Legnano (Milano)
Holland Fair, De Twee Pauwen Gallery, Den Haag
Italian Factory. La nuova scena artistica italiana, Istituto Santa Maria della Pietà, Venezia; Parlamento europeo, Strasbourg; La Promotrice, Torino
Da Tiziano a de Chirico. La ricerca dell'identità, Castel San Michele, Cagliari
Van Italiaanse signatuur, De Twee Pauwen Gallery, Den Haag
Da Antonello a de Chirico. La ricerca dell'identità, Albergo delle Povere, Palermo
Cluedo. Assassinio in cattedrale, Sant'Ignazio, Arezzo
La figura, Galleria Davico, Torino
International Art Fair, Buschlen Mowatt Galleries, Toronto
Art Paris, Galleria Forni, Paris
Giovanni Testori. I segreti di Milano, Palazzo Reale, Milano
Il corpo dell'anima, Galleria Ibiscus, Bologna
Acqua, Galleria Beukers, Rotterdam
Sotto vuoto. La memoria dimessa, Contemporanea Giovani, Como

2004
Nudo, Galleria Forni, Bologna
Arte Fiera, Galleria Forni, Bologna
St'Art Art Fair, Galleria Forni, Strasbourg
Fuoco, Galleria Marieschi, Milano
Da Tiziano a de Chirico. La ricerca dell'identità, Polo culturale di Sant'Agostino, Ascoli Piceno
Fiera dell'Arte, Gallera Rubin, Frankfurt
Miart, Galleria Forni, Milano
Medioevo prossimo venturo, Palazzo Pretorio, Certaldo, Firenze
Scandaglio, Comune, Imbersago (Lecco)
Realisme 04, De Twee Pauwen Gallery, Amsterdam

2005
Arte Fiera, Galleria Forni, Bologna
Realisme 05, De Twee Pauwen Gallery, Amsterdam
Urban Lanscape, Art Paris, Galleria Forni, Paris
MIART, Galleria Forni, Milano

Bibliografia / Bibliography

1980

G. Seveso, *Introduzione*, in *La Pace*, catalogo della mostra / catalogue of the exhibition, Galleria Nuova Arsgallery, Milano

1981

A. Sala, *Dipingere giovane*, in "Corriere della sera", 12 aprile

1982

L. Bianco, *Alessandro Papetti*, in "Open ART", febbraio

U. Lo Russo, *Il realismo espressionista di Alessandro Papetti*, in "L'Informatore", marzo

G. Quaglino, *Un Papetti "GRAFFIANTE" alla galleria Pozzi*, in "Corriere di Novara", 13 maggio, p. 21

1983

L. Bianco, *Alessandro Papetti*, in "Open ART", gennaio

G. Cavazzini, *Dieci pittori a Noceto tra figura e paesaggio*, in "Gazzetta di Parma", 9 settembre, p. 3

M. Fioramonti, in "Arte più Arte", maggio-agosto

S. Grasso, *Otto si riconoscono in Courbet*, in "Corriere della Sera"

G. Seveso, *Presentazione*, in *Alessandro Papetti*, catalogo della mostra personale / catalogue of the solo exhibition, Bayerische Vereinsbank, Milano, pp. 2-10

G. Seveso, *Presentazione*, in *Figura Paesaggio*, catalogo della mostra / catalogue of the exhibition, Parma, p. 16

G. Seveso, *Presentazione*, in *Imago*, catalogo della mostra / catalogue of the exhibition, Varese

G. Seveso, *Presentazione*, in *Sei proposte di immagine*, catalogo della mostra collettiva / catalogue of the group exhibition, Galleria Aleph, Milano, p. 3

1984

V. B., *Il milanese Alessandro Papetti al "Premio Suzzara"*, in "Cronache Mantovane", 3 gennaio

E. Cassa Salvi, *Alessandro Papetti*, in "Giornale di Brescia", 29 novembre

G. Seveso, *Presentazione*, in *Arte al presente*, catalogo della mostra / catalogue of the exhibition, Galleria Schubert, Milano

1985

M. De Micheli, *Presentazione*, in *Esperienza e immagine. 5. A. Papetti*, catalogo della mostra personale / catalogue of the solo exhibition, Fondazione Corrente, Milano

C. Franza, *Alessandro Papetti*, in *Alessandro Papetti*, catalogo della mostra personale / catalogue of the solo exhibition, Galleria Schubert, Milano, pp. 1-2

U. Lo Russo, *Le figure di Papetti*, in "La Provincia di Como", 11 maggio, p. 3

P. Miolli, *Ecco Satie a quattro mani per piano e burattini*, in "La Repubblica", 8 giugno

R. Sanesi, *Commento poetico sul dipinto "Ritratto del professor Godel"*, in *Alessandro Papetti*, catalogo della mostra personale / catalogue of the solo exhibition, Galleria Schubert, Milano

L. Slener, *Un puzzle intellettuale*, in "II Resto del Carlino", 13 giugno

1986
E. Cassa Salvi, *L'urlo di Papetti*, in "Giornale di Brescia", 26 ottobre.
G. Ferrara, *Alessandro Papetti*, in "Il Secolo XIX", 18 maggio
L. Spiazzi, *Arte in città. Alessandro Papetti*, in "Brescia Oggi", 25 ottobre, p. 15

1987
G. Cavazzini, *La Biennale di Milano*, in "Gazzetta di Parma", 10 luglio
R. De Grada, *XXX Biennale Nazionale d'Arte*, in "Corriere della Sera", 7 giugno
C. Franza, *Presentazione*, in *Alessandro Papetti*, catalogo della mostra personale / catalogue of the solo exhibition, Galleria F.22, Palazzolo sull'Oglio
L. Lazzari, *Arte in Provincia. Papetti a Palazzolo*, in "Eco di Bergamo", 16 gennaio
U. Lo Russo, *XXX Biennale Nazionale d'Arte*, in "La Provincia di Como", 13 giugno
G.L. Luzzato, *XXX Biennale Nazionale d'Arte*, in "Libera Stampa", 28 agosto
G. Turroni, *XXX Biennale Nazionale d'Arte*, in "Corriere della sera", 25 giugno

1988
T. Trini, *Presentazione*, in *Alessandro Papetti*, Ed. Scarabeo, Milano, pp. 3-9

1989
L. Barbera, *La Frastagliata Mappa dell'Arte*, in "Gazzetta del Sud", 23 marzo, p. 3
G. Beringheli, *Forme e colori*, in "Il Lavoro", 28 marzo, p. 9
G. Beringheli, *Uno sguardo a cent'anni fa*, "Il Lavoro", 26 ottobre
M. Bocci, *Giovani e geniali*, in "Il Secolo XIX", 18 marzo
M. Cristaldi, Recensione della mostra personale presso la Galleria Rotta di Genova / Review of the solo exhibition at the Galleria Rotta in Genoa, in "Il Giornale", 22 marzo
C. Franza, *Preistoria ed Elogio della realtà*, in *Alessandro Papetti*, catalogo della mostra / catalogue of the exhibition, Galleria Rotta, Genova, pp. 3-6
M. Garzonio, *Milano città d'artisti. XXXI Biennale Nazionale d'Arte*, in "ViviMilano", 14 giugno
E. Margarita, *L'etica dello sguardo di 10 artisti*, in "Gazzetta del Lunedì", 25 settembre
N. Mura, *Gli interni e i ritratti di Alessandro Papetti*, in "Gazzetta del Lunedì", 20 marzo
G. Seveso, *XXXI Biennale Nazionale d'Arte*, in "L'Unità", 14 giugno, p. 5
G. Testori, *Come schiacciati dalla paura quei volti ritratti dall'alto*, in "Corriere della sera", 12 marzo, p. 5
G. Testori, *Presentazione*, in *Alessandro Papetti*, catalogo della mostra personale / catalogue of the solo exhibition, Galleria 15, Piacenza, pp. 3-4

1990
F. Arisi, *Ritratti di Piacentini arricchiscono la Galleria Ricci Oddi*, in "Libertà", 8 ottobre, p. 3
L. Barbera, *Pittura tra pietà ed empietà*, in "Gazzetta del Sud", 8 maggio, p. 13
G. Cavazzini, *Le occasioni di Papetti quando la pittura è "impossibile"*, in "Gazzetta di Parma", 3 luglio, p. 3
G. Cavazzini, *Presentazione*, in *Alessandro Papetti*, catalogo della mostra personale / catalogue of the solo exhibition, Galleria Pegaso, Viareggio
E. Ceriani, *Quattordici modi per continuare*, in "La Prealpina", 30 dicembre
E. Concarotti, *L'inquietante pittura di Papetti*, in "Libertà", 5 gennaio
G. Giacobbe, *Con quello sguardo un po' voyeur*, in "Giornale di Sicilia", 4 maggio, p. 20

1991
C. Benincasa, *Cominciò quasi per caso... oggi è una bella realtà e si chiama Pegaso*, in "Arte", luglio-agosto, pp. 46-49
R. Bossaglia, G. Seveso, *Presentazione*, in *Arte Giovane in Lombardia*, catalogo della mostra collettiva / catalogue of the group exhibition, Cremona
G. Cavazzini, *Alessandro Papetti*, in "Grafica d'Arte", n. 6, aprile-giugno, pp. 22-23
G. Cavazzini, *La magia della tempera*, in "Gazzetta di Parma", 6 giugno
G. Cavazzini, *Ritratti inquietanti di*

Alessandro Papetti, in "Gazzetta di Parma", 2 gennaio, p. 4
N. Cobolli Gigli, L. Leonelli, *I cento artisti italiani dell'anno*, in "Arte", dicembre, p. 64
E. Concarotti, *Aspro espressionismo nei quadri di Papetti*, in "Libertà", 23 gennaio, p. 4
E. Concarotti, *I "Fantasmi" di Papetti nelle antiche ville Piacentine*, in "Libertà", 20 dicembre, p. 18
D. Farsitta, *Papetti: le stanze dell'esorcista*, in "Interni", giugno, p. 161
S. Fugazza, *Presentazione*, in *Frammenti di memoria*, catalogo della mostra personale / catalogue of the solo exhibition, Ed. Tep edizioni d'arte, Piacenza, pp. 1-6
B. Riccardi, *Il giovane Alessandro Papetti: ritratti e interni d'autore*, in "Corriere Padano", 7 febbraio, p. 19

1992
R. Bossaglia, *Alessandro Papetti*, in "Archivio", n. 6, giugno-luglio-agosto, p. 12
R. Bossaglia, *Presentazione*, in *Reperti*, catalogo della mostra personale / catalogue of the solo exhibition, Severgnini, Cernusco sul Naviglio, Milano, pp. 5-7
N. Cobolli, *Alessandro Papetti. Gli "scontri" dell'anima e dell'uomo*, in "Arte", ottobre, p. 96
N. Cobolli, *Negli ateliers della metropoli*, in "Arte", n. 233, ottobre
A. De Micheli, *Decollano in sette*, in "ViviMilano", 11-17 giugno, p. 18
M. De Stasio, *Giovani pittori alla Permanente*, in "La Repubblica", 12 giugno
M. De Stasio, *Giovani artisti crescono alla Permanente. Le opere dei maestri di domani*, in "L'Unità", 21 giugno
E. Di Martino, *Papetti*, in "Gazzettino di Venezia", luglio
V. Faggi, *L'uomo e lo spazio nella pittura di Papetti*, in "Meta-parole & immagini", n. 16, marzo-aprile, p. 35
F. Francione, *Artisti under 40*, in "Cittadino", 23 luglio
S. Fugazza, *Le ville piacentine di Alessandro Papetti*, in "Archivio", novembre, p. 12
M. Gibertini, *I forti sentimenti di Papetti*, in "La Provincia", 19 settembre, p. 13
D. Montalto, *La crisalide in grigio*, in "Avvenire", 3 ottobre, p. 4
N. Mura, *Alla "Rotta" i Reperti di Alessandro Papetti*, in "Gazzetta del Lunedì", 10 febbraio
E. Muritti, *Una squadra di giovani artisti*, in "Il Giornale", 18 giugno, p. 35
Recensione della mostra personale presso la Galleria Acc. di Weimar / Review of the exhibition at the Galleria Acc. in Weimar, in "Thuringische Landeszeitung", August
B. Schisa, *Sette giovani artisti lombardi*, in "Il Venerdì", 3 luglio
M. Sciaccaluga, *Per tutti la morte ha uno sguardo*, in *Alessandro Papetti*, catalogo della mostra collettiva / catalogue of the group exhibition, Galleria Busi, Chiavari
P.L. Senna, *Giovani pittori alla Permanente. Alessandro Papetti*, in "Il Circolo", n. 14, giugno, pp. 16-17
Sieben Künstler aus Mailand, in "Die Rheinpfalz", 7 marzo
K. Wolbert, *Presentazione*, in *Sette giovani artisti*, catalogo della mostra / catalogue of the exhibition, Milano

1993
Articolo sulla mostra *Erschlossene Räume* a Weimar / Article on the exhibition "Erschlossene Räume" in Weimar, in "TZL Lokal", 3 September
R. Bossaglia, *La vita e l'anima. Il pennello come bisturi*, in "Arte", novembre, pp. 67-69
M. Cecchetti, *ArteFiera: e il mercato cavalca la crisi*, in "Avvenire", 26 gennaio, p. 19
C. Franza, *Presentazione*, in *Occasioni della poetica: dal certo al vero*, catalogo della mostra collettiva / catalogue of the group exhibition, Libera Accademia di Pittura, Comune di Nova Milanese
A. Nardon, *Alessandro Papetti*, in "Saison", novembre, pp. 30-31
S. Rey, *Insolite Italien et folklore exotique*, in "L'Echo", 16 octobre, p. 15

1994
S. Banti, *Dentro lo spazio*, in "Brava Casa", febbraio, pp. 33-34
C.F. Carli, *Un colpo di pennello sulla Penisola*, in "Il Giornale", 3 luglio, p. 14
S. Crespi, *L'Italia d'oggi in 20 pittori*, in "Corriere del Ticino", 12 ottobre
M. Goldin, *Presentazione*, in *Venti pittori in Italia*, catalogo della mostra / catalogue of the exhibition, gennaio, pp. 48-50
A. Negri, *Presentazione*, in *Reale e immaginario*, catalogue of the exhibition / catalogo della mostra, Cremona
M. Vallora, *Verde Italia sul cavalletto*, in "La Stampa", 3 giugno, p. 17

1995
Alessandro Papetti, in "Gazette de l'Hotel Drouor", 24 novembre
Alessandro Papetti. Peintures, in "L'Oeil", novembre
C. Castellani, *Presentazione*, in *Stanze - Interni e interiorità*, catalogo della mostra / catalogue of the exhibition, Pinacoteca Alberto Martini, Oderzo, p. 32
M. De Micheli, in *Difesa dell'Immagine*, catalogo della mostra / catalogue of the exhibition, Museo delle Arti, Nocciano
M. Goldin (a cura di), *Alessandro Papetti*, catalogo della mostra personale / catalogue of the solo exhibition, Galleria Pegaso, Forte dei Marmi
J.M. Tasset, Articolo sulla mostra personale presso la Galerie Alain Blondel di Parigi / Article on the solo exhibition at the Galerie Alain Blondel in Paris, in "Le Figaro", Paris, 5 décembre
K. Wolbert, *Presentazione*, in *Zehn von Hundert. Zehn Jahre*, catalogo della mostra / catalogue of the exhibition, Basf-Kunstaustellungen, Basf, pp. 52-57

1996
Alessandro Papetti, in "Cronache d'Arte", maggio-giugno
V. Baradel, *Artisti così diversi eppure così vicini*, in "Il Mattino", dicembre
E. Bassani, *Donato un Papetti ai Musei*, in "Cultura e Dintorni"
B. Cattaneo, *L'arte e la rappresentazione dell'industria*, in *Interni di fabbrica*, catalogo della mostra personale / catalogue of the solo exhibition, Galleria Bellinzona, Lecco, ottobre, pp. 11-22
S. Colomba, Recensione / Review, in "Il Resto del Carlino", 4 gennaio
R. De Grada, *Dal lavoro nell'Arte all'"Homo Faber"*, in *Homo Faber*, catalogo della mostra / catalogue of the exhibition, Il Vicolo, Cesena, p. 11
Interni di fabbrica, in "Il Giornale di Lecco", 28 ottobre
P. Levi, *Alessandro Papetti*, in "La Repubblica", marzo
A. Magnani, *La fabbrica che si estingue*, 18 novembre
M. Martignoni, *Fabbriche come cattedrali gotiche*, in "La Provincia", 2 novembre
M. Martignoni, *La fabbrica di Papetti a Villa Manzoni*, in "La Provincia", 25 ottobre
M. Mojana, *Pittura, come scegliere gli emergenti*, in "Il Sole 24 Ore", 1 dicembre, p. 16
D. Montalto, *Interni di fabbrica. Papetti rivisita i simboli di una civiltà*, in "L'Avvenire", 10 novembre
A. Oberti, *Apparenza e sostanza contemplativa*, in "Corriere dell'Arte", 30 marzo, p. 10
V. Palumbo, N.A. Tissi, *Scelti ad Arte*, in "Capital", maggio, p. 135
M. Pancera, *Alessandro Papetti: l'idea interiore*, in *Interni di fabbrica*, catalogo della mostra personale / catalogue of the solo exhibition, Galleria Bellinzona, Lecco, ottobre, pp. 7-10
F. Pania, Recensione / Review, in "Liberazione", 5 gennaio
Papetti. Interni di fabbrica, in "Il Giornale di Lecco", 25 novembre
E. Pensa (a cura di), *Metropoli. Quaranta artisti delle aree metropolitane di Milano e Berlino*, catalogo alla mostra / catalogue of the exhibition, Ed. del Titano, Repubblica di San Marino
S. Rey, *Lieux de solitude*, in "L'Echo", 13 dicembre
A. Riva, *Alessandro Papetti*, in "Arte", dicembre, pp. 38-39
A. Rodolico Gariglio, *Papetti e Di Cocco, figure reinterpretate*, in "L'Unione Monregalese", 28 marzo, p. 5

U. Ronfani, *Recensione / Review*, in "Il Giorno", 5 gennaio
A. Sala, *C'è da vedere*, in "Il Punto Stampa", dicembre, p. 21
A. Savioli, *Recensione / Review*, in "L'Unità", 5 gennaio
F. Somaini, *La fabbrica abbandonata viene ben visitata da Papetti*, in "La Provincia", 19 novembre
R. Tripodi, *Recensione* alla scenografia dello spettacolo teatrale *Preferirei di no*, di A. Brancati, con A. Proclemer e F. Marchegiani, regia di P. Maccarinelli / *Review* of the scene paintings of the theatrical piece *Preferirei di no* by A. Brancati, performing A. Proclemer and F. Marchegiani, directed by P. Maccarinelli, in "Il Giornale d'Italia", 5 gennaio
M. Vallora, *Arte. Labirinto di fine secolo*, in "La Stampa", 26 settembre, p. 25
M. Vallora, *Presentazione*, in *Alessandro Papetti*, catalogo della mostra personale / catalogue of the solo exhibition, Galleria Forni, Bologna, pp. 5-11
C. Vatteroni, *Recensione / Review*, in "Il Piccolo di Trieste", 4 gennaio
B. Zancan, *To' un Boldini di oggi*, in "La Stampa", marzo, p. 20

1997
E. Bassani, *Donato un Papetti ai Musei*, in "Cultura & Dintorni", luglio, p. 13
R. Bossaglia (a cura di), *Quadri & sculture. Un critico dalle molte facce*, in "Il Giornale di Lecco", 3 marzo, pp. 74-75
M. Coltri, *Questione di pelle scura*, in "Arte", maggio, p. 163
E. Dall'Ara, *Recensione della mostra personale / Review of the solo exhibition*, in "Romagna Corriere", 26 settembre
Dentro le stanze di Papetti, in "Giornale di Massa", 17 ottobre
G. Frangi, *Le nove scelte di Class*, in "Class", maggio, pp. 1-3
E. Giudici, *Alessandro Papetti a Cesena*, in "Corriere Cesenate", 18 ottobre
M. Guastella, *Un itinerario d'arte al centro dell'uomo*, in "Quotidiano di Brindisi", 29 ottobre, p. 1
J. Lord, *L'arte di Papetti*, in *Alessandro Papetti*, catalogo della mostra / catalogue of the exhibition, Severgnini, Cernusco sul Naviglio, Milano, pp. 9-10
C. Malberti, *Presentazione*, in *La pelle nera*, catalogo della mostra collettiva / catalogue of the group exhibition, Galleria Marieschi, Monza, p. 34
D. Montalto, *La pelle nera: l'arte celebra la negritudine*, in "L'Avvenire", 13 giugno, p. 2
R. Pieri, *Vetrina d'Arte*, in "Il Resto del Carlino" e "Insieme", 1° ottobre
A. R., *Il chi è dei nuovi ritratti*, in "Sette. Settimanale del Corriere della sera", n. 38, p. 76
Un Papetti ai Musei donato da Albanese, in "Il Giornale di Lecco", 7 luglio

1998
R. Bossaglia, *Arte Fiera di Bologna*, in "Corriere della sera", 25 gennaio
S. Crespi, *Presentazione*, in *Figura*, catalogo della mostra / catalogue of the exhibition, Comune di Camorino, Camorino, pp. 11-12
S. Rey, *Recensione* della mostra personale alla Zedes Art Gallery di Bruxelles / *Review* of the solo exhibition at the Zedes Art Gallery in Brussels, in "L'Echo", 13 mars
A. Riva, *Presentazione*, in *Il nuovo ritratto in Italia*, catalogo della mostra collettiva / catalogue of the group exhibition, Electa, Milano, pp. 8-19
A. Riva, *Ritorno alla figura*, in "Arte", dicembre, pp. 94-102
T. Zanchi, *Marieschi, un nome illustre per una galleria*, in "Casa Oggi", ottobre, p. 2

1999
P. Biscottini, *Alessandro Papetti*, in *Acqua*, catalogo della mostra personale / catalogue of the solo exhibition, Skira, Milano, pp. 7-10
P. Biscottini, *Presentazione*, in *Lions Club Monza Host*, catalogo della mostra collettiva / catalogue of the group exhibition, Lions Club, Monza, pp. 66-69
L. Christensen, *The fine art of collecting*, Veeseven
S. Crespi, *Papetti*, in *Acqua*, catalogo della mostra personale / catalogue of the solo exhibition, Skira, Milano, pp. 11-14

F. Giacomotti, *Quasi quasi mi faccio un ritratto*, in "Io Donna", 18 settembre, pp. 217-220
A. Riva, *Papetti nel segno dell'acqua*, in "Arte", ottobre, pp. 146-151
O. Rossi, *Presentazione*, in *Il divenire e l'ombra*, catalogo della mostra / catalogue of the exhibition, Fermo

2000
M. Anderson, *Alessandro Papetti*, in "L'Express du Pacifique", 10 giugno, p. 12
M. Anderson, *Courant du Pacifique. Alessandro Papetti e la Buschen Mowatt Galerie*, trasmissione televisiva / television program, 8 june
M. di Capua, *L'opera al blu*, in *Alessandro Papetti*, catalogo della mostra personale / catalogue of the solo exhibition, Severgnini, Cernusco sul Naviglio, Milano, pp. 7-9
M. di Capua, V. Sgarbi, *Presentazione*, in *Da Boccioni a Bacon alla Contemporaneità*, catalogo della mostra / catalogue of the exhibition, Galleria Forni, Bologna, pp. 86-87
P. Naidi, *Una galleria grande come tutta la città*, in "La Repubblica", Bologna, 11 novembre, p. 15
C. Sales, *La sacralità del finito*, in "Inchiostro", giugno-luglio
M. Scott, *The Vancouver Sun*, in "Visual Art", 10 June
D. Trombadori, *Come in uno specchio*, in *Alessandro Papetti*, catalogo della mostra personale / catalogue of the solo exhibition, Severgnini, Cernusco sul Naviglio, Milano, pp. 11-13
L. Vincenti, *Siamo piccoli ma cresceremo diventando i Giotto del Duemila*, in "Oggi", 13 dicembre, pp. 92-96

2001
Alessandro Papetti, in "Tableau-Fine Arts Magazine", February, pp. 108-109
Papetti, in "DNA, Dernieres nouvelles d'Alsace", 28 décembre, pp. 11-12
A. Jeursen, *Reportage*, in "Art NL", February-March, pp. 24-27

2002
N. Cobolli Gigli, *Tutti i colori del grigio*, in "Arte", ottobre, pp. 156-160
M. Di Marzio, *I paesaggi dell'anima*, in *Alessandro Papetti*, catalogo della mostra personale / catalogue of the solo exhibition, Charta, Bologna, pp. 9-17
M. Di Marzio, *Paesaggi lunari dall'ex industria*, in "II Giornale", 7 ottobre, p. 40
R. Ferrario, *Come di notte l'uomo c'è ma non si vede*, in "La Stampa", 30 ottobre, p. 10
W. Graham, *Exhibition of skinny women creates a stir*, in "The Star", 7 March, p. 6
Out and About, in "House and Garden South Africa", June, p. 16
M. Read, *Presentazione*, in *Alessandro Papetti*, catalogo della mostra personale / catalogue of the solo exhibition, Everard Read Gallery, Johannesburg, p. 1
A. Riva, *Ritorno alla figura*, in "Arte", dicembre
A. Taccani, *Alessandro Papetti*, in "Carnet", 3 ottobre, p. 23
M. Sciaccaluga, *Presentazione*, in *Sconfinamenti*, catalogo della mostra / catalogue of the exhibition, Castello di Spezzano, Fiorano Modenese, pp. 74-77

2003
Alessandro Papetti artista testimonial un po' bohémien e un po' filosofo, in "La voce di Mantova", 2 settembre
A. Abate, *Un "Antibiennale" al Festival di Venezia*, in "Avanti!", 22 luglio
F. Arensi, *Alessandro Papetti*, in *Giovanni Testori i segreti di Milano*, catalogo della mostra / catalogue of the exhibition, Silvana Editoriale, Cinisello Balsamo, p. 258
F. Arensi, *La fabbrica d'Italia conquista l'Europa*, in "La Padania", 23 luglio, p. 18
F. Arensi, *La penultima vanità di G. Testori*, in *Giovanni Testori "un ritratto"*, catalogue of the exhibition / catalogo della rassegna, Ed. Mazzotta, Milano, pp. 15-17
F. Arensi, *Sgarbi contesta la classifica dei magnifici cento*, in "La Padania", 23 luglio, p. 16
F. Basile, *Papetti disegna l'onda dei sogni*, in "Il Resto del Carlino", 17 ottobre, p. 8
D. Bellomo, *Le navi di Papetti in eterna*

attesa, in "L'Arena", 22 maggio
S. Biller, *Strokes of perception. Alessandro Papetti expresses his mental vision of reality*, in "Palm Springs Life", June, p. 16
E. Bodini, *Presentazione*, in *Alessandro Papetti*, catalogo della mostra personale / catalogue of the solo exhibition, Buschlen Mowatt Galleries, Palm Desert
R. Borghi, E. Gravagnuolo, C. Ghielmetti, *Presentazione*, in *Sotto vuoto. La memoria dismessa*, catalogo della mostra collettiva / catalogue of the group exhibition, Ex Ticosa, Como, 12 aprile
G. Calvert, *Presentazione*, in *Alessandro Papetti*, catalogo della mostra personale / catalogue of the solo exhibition, The Everard Read Gallery, Johannesburg, p. 12
Cantieri Papetti, in "Capolavori", giugno, pp. 124-131
F. Cavallo, *Da sinistra verso destra*, in "Sur la Terre Magazine", Milano, n. 16, autunno, p. 43
G. Cavazzini, *Rigoroso Papetti*, in "Gazzetta di Parma", 8 Aprile, p. 18
N. Cobolli, *Giganti del mare e notturni nella città proibita*, in "Arte", aprile, p. 82
L. Colonelli, *Quanti pittori in cerca di identità*, in "Corriere della Sera", 31 maggio, p. 31
S. Crespi, *Il silenzio del volto*, in *Volti*, catalogue of the exhibition / catalogo della rassegna, Comune di Vanzaghello, Vanzaghello, pp. 3-13
Da Tiziano a De Chirico, in "La Repubblica", Cagliari, 23 giugno, pp. 34-35
M. Di Marzio, *Porto Sacro*, in *Reperti*, catalogo della mostra personale / catalogue of the solo exhibition, Galleria dello Scudo, Verona, pp. 6-8
G. Fabretti, *La ricerca dell'identità da Tiziano a De Chirico*, in "Arte Incontro in Libreria", settembre-ottobre
M. Ferrari, *Alessandro Papetti. Reperti Opere 2002*, "Abitareverona Magazine", aprile
C. Gatti, *Pittori e Scultori ecco con chi mettersi in posa*, in "La Repubblica", 30 settembre, p. XI
Giochi di luce. Eventi, in "Riflessi-Trenitalia", ottobre, p. 54
S. Granuzzo, *Alessandro Papetti*, in "Exibart", www.exibart.com
V. Meneguzzo, *I reperti salvati di Papetti*, in "L'Arena", 22 aprile, p. 38
M. Mojana, *Mostre che aprono*, in "Il Sole 24 Ore", 23 novembre, p. 41
Papetti il mondo sospeso, in "Stile", ottobre, pp. 37-39
Papetti si aggira tra luoghi senza tempo, in "Il Resto del Carlino", 30 ottobre
S.C. Perroni, *Spettatore poco dittatore a spasso per una Biennale che non gli piace*, in "Il Foglio", 17 giugno, p. 2
C. Pilati, *I tesori della Galleria Forni*, in "II Domani", 23 gennaio, p. 17
C. Pilati, *L'Arte di Alessandro Papetti svela i misteri della realtà*, in "Il Domani", 11 ottobre, p. 16
G. Pre, *MilanoMostre*, in "Contro Corrente", febbraio, p. 56
A.P. Rapelli, *Giovanni Testori: l'omaggio di quaranta artisti contemporanei*, in "Arte Incontro in Libreria", aprile-giugno, p. 15
Realtà e misteri, in "Carnet City Bologna", 15 ottobre
A. Riva, *Gente comune*, in "Carnet", luglio, p. 13
A. Riva, *Onorevole chi è il suo pittore di riferimento?*, in "Sette. Settimanale del Corriere della sera", n. 29, pp. 40-45
A. Riva, *Quelli che hanno imparato l'arte di fare i soldi con l'arte*, in "Sette. Settimanale del Corriere della sera", n. 51, pp. 93-96
P. Rizzi, *Italian Factory e la nuova scena artistica italiana*, in "Artein", agosto-settembre, pp. 68-69
M. Sciaccaluga, *Alessandro Papetti. Giochi nell'Acqua*, in "Arte", ottobre, pp. 128-133
M. Sciaccaluga, *Presentazione*, in *Il corpo dell'anima*, catalogo della mostra collettiva / catalogue of the group exhibition, Gallera Ibiscus, Ragusa
V. Sgarbi, *Altra solitudine. La ricerca dell'identità*, in *Da Tiziano a De Chirico*, catalogo della mostra / catalogue of the exhibition, Skira, Milano, pp. 7-9
V. Sgarbi, *Altra solitudine. Volti e ombre*, in *Da Tiziano a De Chirico*, catalogo della rassegna / catalogue of the exhibition, Skira, Milano, pp. 9-12
V. Sgarbi, *Tutte le facce di Testori, 10 anni*

dopo, in "Oggi", 11 giugno, p. 179
G. Soavi, *L'Italia sulla tela*, in "AD", Collector's edition, settembre, pp. 22-24
L. Taccani, *Città*, in "Carnet", 27 marzo, p. 27
M. Vallora, *Ed infatti qui il terrore svolazza; e la gioia*, in *Reperti*, catalogo della mostra personale / catalogue of the solo exhibition, Galleria dello Scudo, Verona, pp. 14-19
M. Vallora, *Presentazione*, in *Acqua*, catalogo della mostra collettiva / catalogue of the group exhibition, Li.Ze.A, Acqui Terme, p. 9
Verso la sintesi. I segni del dolore. Navi come fantasmi. Quiete e movimento, in "Il Gazzettino", 28 aprile, p. 10

2004
Alessandro Papetti, le génie des lieux, in "Pratique Des Arts", n. 55, p. 13
F. Arensi, *Presentazione*, in *Sul fuoco che ora nella terra cenere*, catalogo della mostra collettiva / catalogue of the group exhibition, Galleria Marieschi, Milano, p. 21
F. Arensi, *Presentazione*, in *Werner Tübke - Mediterrane Inventionen*, catalogo della mostra / catalogue of the exhibition, Panorama Museum, Bad Frankenhausen.
B. Barba, *Cantieri Papetti*, in "Riflessi", marzo, pp. 30-37
M. Brevi, E. Gravagnuolo Marzo, *Artisti dietro le quinte*, in "Arte", marzo, p. 84
V. Cwalinski, *L'Avanguardia necrofila*, in "Tempi", 25 febbraio, p. 3
G.R. Manzoni, *Esserci*, in *Esserci*, catalogo della mostra / catalogue of the exhibition, Ed. Faenza, p. 56
M. Mine, *Alessandro Papetti*, in "Paris Capitale", n. 95, 15 mars, p. 142
A. Riva, *Italiana 2003. La nuova scena artistica*, in *Italian Factory. La nuova scena artistica italiana*, catalogo della mostra / catalogue of the exhibition, Electa, Milano, pp. 98-99
A. Riva, *Papetti nell'ex-Renault*, in "Carnet Arte Milano", aprile-maggio, p. 32
M. Sciaccaluga, *Arte fiera - Investimenti 2004. I talenti del made in Italy*, in "Arte", gennaio, pp. 128-138
M. Sciaccaluga, *Cluedo. Assassinio in cattedrale*, catalogo della mostra / catalogue of the exhibition, Comune di Arezzo, Arezzo, pp. 8-11
M. Sciaccaluga, *Corsi e ricorsi*, in *Medioevo Prossimo Venturo*, catalogo della mostra / catalogue of the exhibition, Comune di Certaldo, Certaldo, pp. 11-14
M. Sciaccaluga, *Una generazione in dieci opere*, in "Arte", agosto, p. 85
L. Spegnesi, *Art Frankfurt la Fiera dell'arte giovane. Arte e Mercato*, in "Arte", maggio, p. 238
L. Tansini, *Factory made in Italy*, in "Artein", aprile-maggio, pp. 84-85
Un peintre sur l'Ile, in "Le Figaro", 9 avril, p. 24
Y. Youssi, *Alessandro Papetti: de palais en usines*, in "Zurbans Paris", 14 avril, p. 127
Paolo Manazza, *Il giorno dei piccoli incanti*, in "Corriere della Sera"

Via della Scienza, 21
37139 Verona
Tel. 045 85 11 447 r.a.
Fax 045 85 11 451
grafiche.aurora@graficheaurora.it

Finito di stampare nel mese di maggio 2005